夜ふけに読みたい

森と海のアンデルセン童話

ハンス・クリスチャン・アンデルセン 著

吉澤康子＋和爾桃子 編訳　アーサー・ラッカム 挿絵

FAIRY·TALES
BY
HANS·ANDERSEN
ILLUSTRATED
BY
ARTHUR·RACKHAM

夜ふけに読みたい　森と海のアンデルセン童話

目次

Nisse
（ニッセ）

Nål
（ノール）

物語を生んだつながり
～アンデルセンとグリムと北の国々～

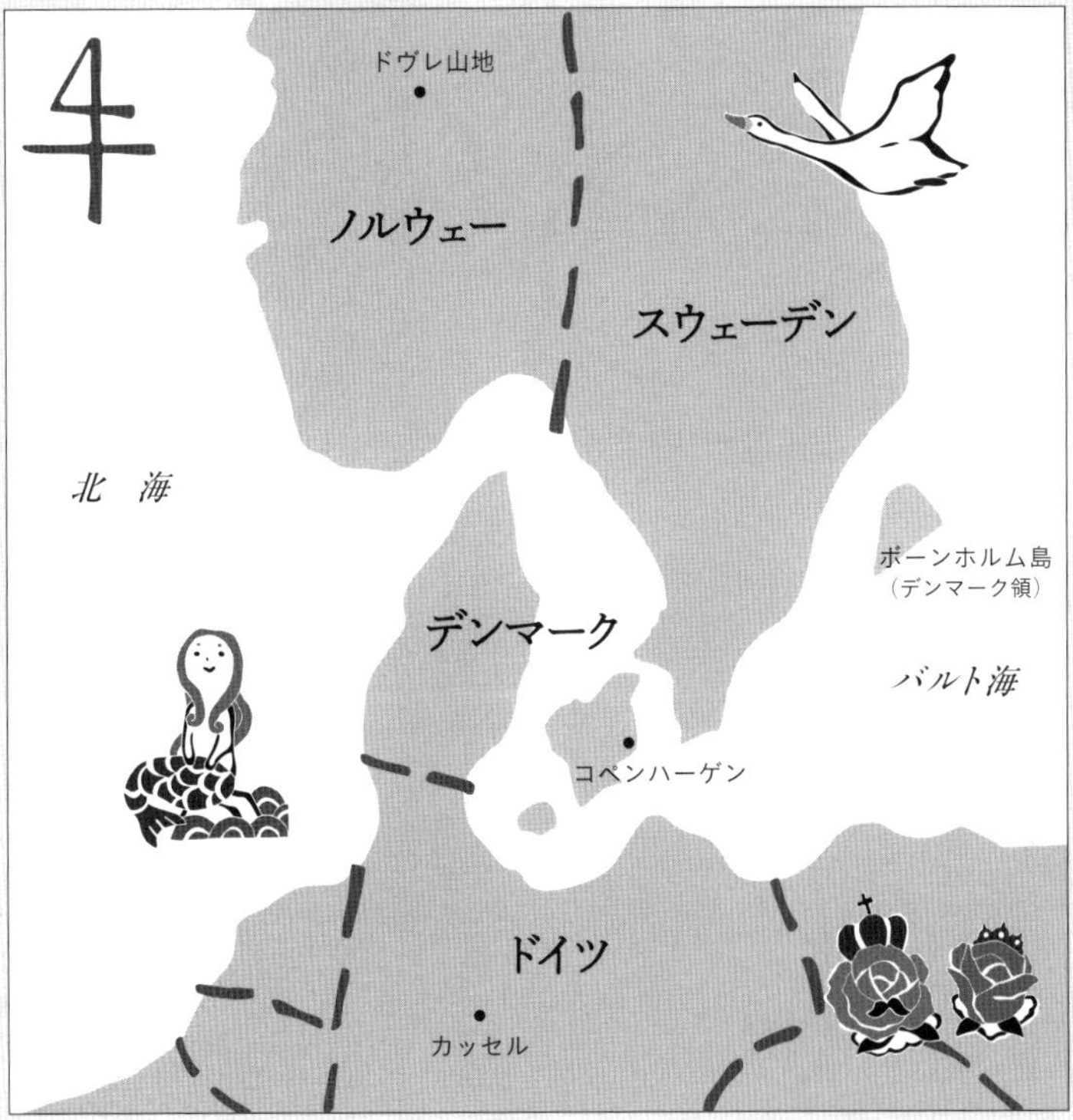

コペンハーゲン略図《りゃくず》

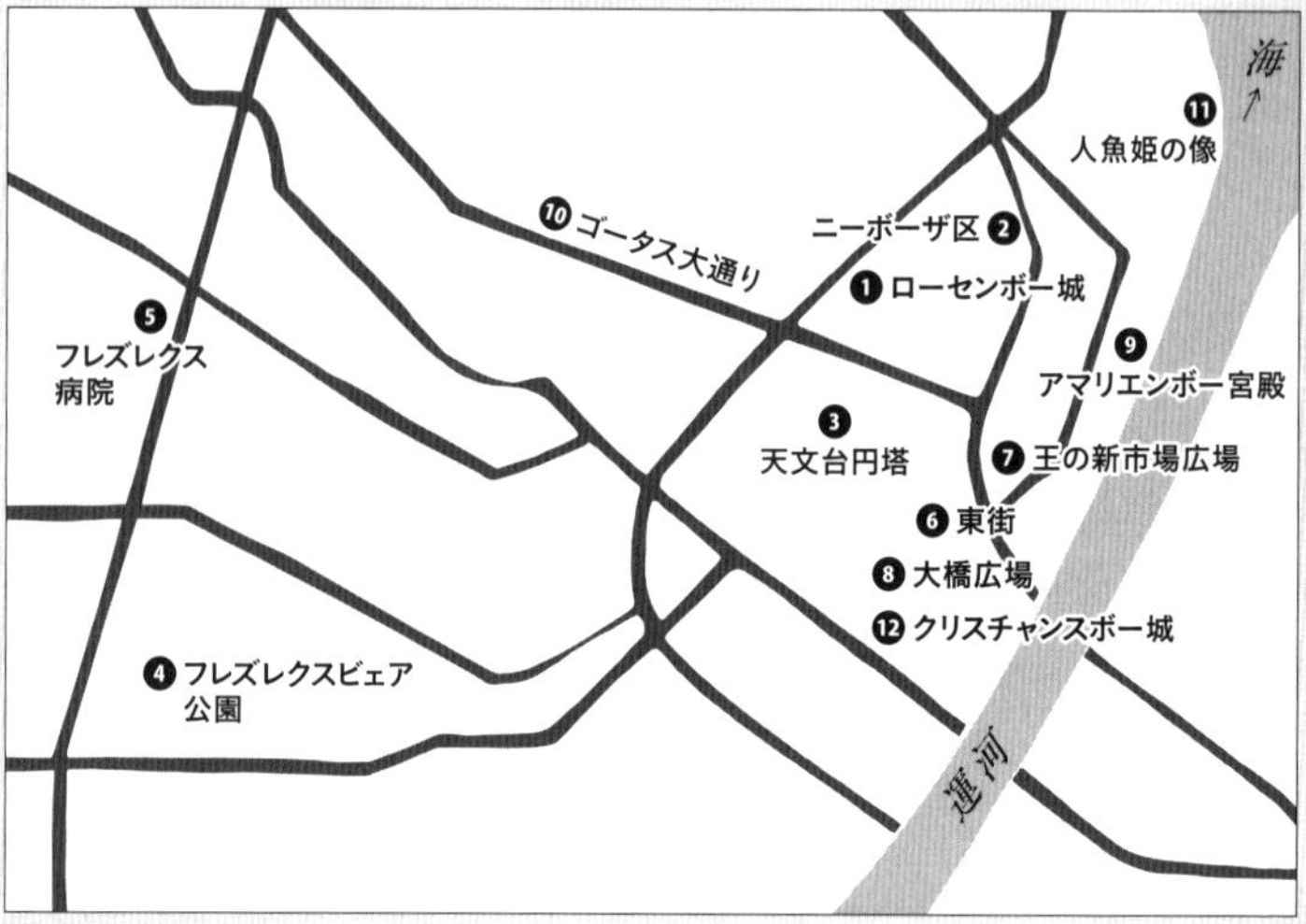

❶ローセンボー城《じょう》 Rosenborg Slot
デンマーク王室の夏の離《り》宮《きゅう》。「バラの城《しろ》」という意味。

❷ニーボーザ区 Nyboder
海軍居《かいぐんきょ》住《じゅう》区《く》で水兵《すいへい》などの兵舎《へいしゃ》があり、南《なん》東《とう》の端《はし》のニューハウンにアンデルセンは長年住んでいた。

❸天文台円塔《えんとう》 Rundetaarn
十五世紀《せいき》デンマークの天文学者ティコ・ブラーエが天文観測用《かんそくよう》に建《た》てさせた塔《とう》。

❹フレズレクスビェア公園
Frederiksberg Gardens

❺フレズレクス病院
Frederiksberg Hospital

❻東街《ひがしがい》 Østergade

❼王の新市場広場 Kongens Nytorv

❽大橋広場 Højbro Plads

❾アマリエンボー宮殿《きゅうでん》 Amalienborg Slot
アンデルセンが生まれる11年前～現在《げんざい》まで王宮。

❿ゴータス大通り Gothersgade

⓫人魚姫《にんぎょひめ》の像《ぞう》 Den Lille Havfrue

⓬クリスチャンスボー城《じょう》
Christiansborg Slot
中世～アンデルセンが生まれる11年前まで王宮。

ヒュッゲの国から、またこんにちは

ニッセ：やあ、みんな！　今回はデンマークの春と夏のお話を主《おも》に集めてみました。

ノール：きびしい冬とはまるで別《べつ》の国みたいだよ。さわやかで過《す》ごしやすいけど、太陽がもっと照《て》ってくれるといいね。

ニッセ：お日さまがガツンと照《て》りつける国々は、みんなのあこがれだもんね。ほら、デンマークの人たちはコーヒーが大好《だいす》きでしょ。おいしいコーヒーはたいてい暑い国でとれるから。

ノール：うんうん。どんなに忙《いそが》しくてもコーヒータイムには友だちや家族とおしゃべりしたり、本を読んだりするね。そんなひとときをヒュッゲと呼《よ》ぶんだ。日本語でいうと、「ほっこり」に近いかな。

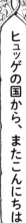

ニッセ：猫《ねこ》はくたびれたらお昼寝《ひるね》するけど、人間は無理《むり》して働《はたら》きすぎだよ。

ノール：でも、ヒュッゲで充電《じゅうでん》できれば、また勉強や仕事をがんばろうって気になれる。日々のビタミンだね。

ニッセ：そういうこと。アンデルセンさんはヒュッゲな読書に欠《か》かせないよね。初《はじ》めのうちは貧乏《びんぼう》でヒュッゲどころじゃなかったけど、やがてじわじわと名を知られていったんだ。

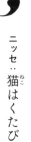

うっかりから始まるドイツとの縁《えん》

ノール：特《とく》にドイツではすごい人気だね、グリム兄弟とのつながりがあったからさ。

ニッセ：そもそもは「エンドウ豆の上に寝《ね》たお姫《ひめ》さま」を、デンマーク民話《みんわ》だと早とちりした弟のヴィルヘルムさんが、うっか

りグリム童話集の第五版《はん》に入れちゃって。もとになったのはスウェーデン民話《みんわ》だよ。民話《みんわ》由来のアンデルセン作品って意外となくてね、せいぜいで十五分の一かな。

ノール：そんなレアものを、よりにもよって間違《まちが》えるって。しかもアンデルセンさんがせっかくベルリンまで訪《たず》ねていったのに、お兄さんのヤーコプさんにうっかり「アンデルセン？　さあ、知りませんなあ」って言われてがっくりしたって。

ニッセ：兄弟そろってうっかり屋さんだな。

ノール：それでもアンデルセンさんはあきらめなかった。父方のひいおばあさんが生きてたころに、自分はドイツのカッセルにいた貴族《きぞく》のお嬢《じょう》さまだ。旅芸人《たびげいにん》と駆《か》け落《お》ちしたおかげで貧乏人《びんぼうにん》になっちゃったけど、生まれはいいんだと話してたんだって。その話が本当かどうかを現地《げんち》で確《たし》かめたかったみたいだよ。

ニッセ：カッセルといえば、グリム兄弟が何十年も住んでいた町だよね。なるほど、そっちのつてで地元の貴族《きぞく》に紹介《しょうかい》してもら

えば、何かわかりそうだ。

ノール：残念《ざんねん》ながら真相はわからずじまいだったけど、兄弟に作品を気に入ってもらえて、ドイツでも読まれるようになったのはよかったよね。

即興《そっきよう》詩人と森鷗外《おうがい》

ニッセ：やがて明治《めいじ》になってドイツで学んだ日本人の中に、のちの森鷗外《おうがい》がいた。グリム童話の愛読者《あいどくしゃ》でね、その流れでアンデルセン作品に出会ったのかな。

ノール：鷗外《おうがい》が十年がかりで訳《やく》した『即興《そっきよう》詩人』が大ベストセラーになると、アンデルセン童話も日本にぞくぞくと紹介《しょうかい》されてね、今も広く愛《あい》されてるんだ。

ニッセ：アンデルセンは英語版《えいごばん》もけっこうあるけど、やっぱり

ヤーコプさんのお墨《すみ》付《つ》きだからか、それとも鷗《おう》外《がい》の影《えい》響《きょう》か、ドイツ語からの訳《やく》が多かったみたい。

ノール：だからいまだにドイツ語風の「アンデルセン」なんだ（笑）。デンマーク語というハンデがありながら、こうして日本でずっと愛《あい》され続《つづ》けるってすごいことだよ。

ニッセ：ふたつの縁《えん》のおかげかな。アンデルセンさんとグリム兄弟をつなぐカッセルの縁《えん》、そしてヤーコプ・グリムさんから森鷗《おう》外《がい》へと続《つづ》く縁《えん》。

ノール：ひとつだけでも奇《き》跡《せき》なのに、ふたつも重なってたんだ。それは強いはずだね。

イーダちゃんのお花

「だめになっちゃったよう、あたしのお花」

と言ったのは、小さいイーダちゃんです。「せっかく昨日《きのう》の夕方にはきれいに咲《さ》いてたのに、もう葉っぱがこんなにクタッとして。どうしたのかな」と、ソファにいた学生さんにたずねました。イーダちゃんはこの人が大好《だいす》きです。すごく面白《おもしろ》いお話をしながら、最高《さいこう》にすてきな切り絵を次から次へと作ってくれるんですもの。ハート形でしょう、お姫《ひめ》さまたちのダンスでしょう、ドアというドアをぜんぶ開けたお城《しろ》でしょう、いろんなお花もできますよ。そんな人は

なかなかいません。だからイーダちゃんはしおれた小さな花束《はなたば》を指さして、「ねえ、なのに今日はどうしてこうなっちゃったの？」と、もう一度たずねてみたのでした。

「あれ、知らなかった？」と、学生さん。「ゆうべはお花たちのダンスパーティだったんだ。だから今日はクタクタでもしょうがないよ」

「だって、お花はダンスできないよ？」イーダちゃんの声が大きくなります。

「いやいや、できるよ」学生さんが答えて、「夜になってみんなが寝《ね》ちゃうとね、もうはりきって飛《と》んだりはねたり、夜な夜なダンスパーティで盛《も》り上《あ》がってるよ」

「小さい子もいる？」

「うん、いるよ。ヒナギクちゃんとかスズランちゃんとかね」

「じゃあ、おっきい花たちはどこでダンスするの？」

「町の外の大きなお城《しろ》へは何度か行ったよね。ほら、王さまが夏にお住まいで、お庭にお花がいっぱいの。お池の白鳥たちがきみに寄《よ》ってってパンくずをもらったじゃないか。お花たちはね、あのお城《しろ》で大きなパーティを開くんだよ」

「そこなら昨日《きのう》もママと行ったけど、葉っぱはすっかり落ちちゃって、お花もひとつもなかったよ。みんなどこ行っちゃったの、夏にはあんなにあったのに」

「お城《しろ》の中だよ」と、学生さんは教えてくれました。「王さまご一行《いっこう》が帰っちゃうとね、お庭のお花たちはさっそくお城《しろ》に駆《か》けこんで自由にやりたいようにやるんだ。いちばんきれいなバラが王さまと女王さまになってお椅子《いす》に腰《こし》かけると、赤ゲイトウが右と左に分かれておじぎする。ご家来の貴族《きぞく》たちだね。すると、かわいらしいお花たちが入ってきて、にぎやかなパーティの始まりさ。青スミレはひよっこの海軍士《かいぐんし》官候《かんこう》補《ほ》生《せい》になり、ヒヤシンスやサフランのお嬢《じょう》さんがたをダンスに誘《さそ》ってあげる。チューリップやオニユリはおっかないおばさま役で、パーティ会場にくまなく目を光らせるんだよ」

「でも」と、イーダちゃん。「お花たち、怒《おこ》られない？　王さまのお城《しろ》でしょ？」

「だいじょうぶ、気づかれないようにしてるから」と、学生さん。「お年よりの管理《かんり》人《にん》が夜の巡回《じゅんかい》に来るけど、なにしろ大きな鍵束《かぎたば》の音がするだろ。お花たちはそれを聞きつけるが早いか、長いカーテンの陰《かげ》にサッと隠《かく》れちゃう。顔だけこっそり出してね。すると管理人《かんりにん》は「ここは花の香《かお》りがするなあ」とは言うんだけど、気づきもしないのさ」

「うわあ、すごい！」イーダちゃんは手を叩《たた》いて喜《よろこ》びました。「あたしならわかる？」

「ああ、絶対《ぜったい》だよ」と、学生さん。「次の時には、忘《わす》れずに窓《まど》からのぞいてごらん。ぼくもね、今日そうして、ソファに寝《ね》そべった長い黄ユリを見かけたよ。あのユリは

女官《にょかん》さんのつもりかな」

「そのパーティって植物園のお花も出られる？　だいぶ遠いけど！」

「もちろん。お花って、その気になればいつでも飛《と》べるからね。ほら、赤や白や黄色のきれいなチョウチョがいるだろう？　お花そっくりなやつ。もともとはお花だったんだよ。葉っぱをちっちゃい羽みたいにぱたつかせて茎《くき》から離《はな》れたのさ。慣《な》れたら、ずっと茎《くき》についてなくても昼間から堂々《どうどう》と飛《と》んでいいと言ってもらえるんだ。葉っぱはそのうち本物の羽になる。けど、もしかしたら植物園の子たちはまだお城《しろ》には行けてなくて、そんなパーティが毎晩《まいばん》あるのも知らないかな。ねえ、いいこと思いついたよ、すぐご近所の植物学の先生をびっくりさせてやら

ないか。あの人なら、きみもよく知ってるだろ？　だから、この次にあのうちのお庭へ行ったらね、お花のどれかに教えてあげようよ。お城《しろ》ですごいパーティがあるのよって。そしたらその子が仲間《なかま》のお花ぜんぶに伝《つた》えて、みんなでさっそくお城《しろ》へ飛《と》んでっちゃうから、先生がお庭へ出るころには一輪《りん》もなくなってるよ。びっくりするだろうなあ、いったい何ごとだ！　って」

「けど、お花はどうやってお話しするの？　お口がないよ？」

「口はないけどね、動きで通じるんだよ。よくあるだろう？　風にそよぐお花がうなずき合ったり、緑の葉をゆらゆらさせたりとかさ」

「あの先生もお花の動きがわかる？」と、イーダちゃんはたずねました。

「もちろん。いつかの朝も出てみたら、とげとげのイラクサがきれいな赤いカーネーションに葉っぱを振《ふ》ってたんだって。「ほんとにかわいいね、大好《だいす》きだよ」って。でも先生はけしからん、やめなさいってイラクサの両手を叩《たた》いたんだ。そしたらイラクサが葉っぱの指で刺《さ》し返《かえ》したもんだから痛《いた》いのなんの。それからはよけいな手出しをしなくなったんだって」

「やあだ、おっかしい！」イーダちゃんは笑《わら》いだしました。

「そんなでたらめを子どもに吹《ふ》きこむやつがあるか！」と、口を出してきたのはソファにいた相客の、やたら口やかましい弁護士《べんごし》さんでした。学生さんを目の敵《かたき》にして、おちゃめな切り絵を見るたびに何かと難《なん》くせをつけたがる人です。まあねえ、中には、盗《ぬす》んできたような手つきでだれかの心を握《にぎ》って首つり台にかかった「罪《つみ》な男の図」とか、ほうきにまたがる老魔《ろうま》女《じょ》が自分の夫《おっと》を鼻に乗っけた図とか、ちょっと子ども向けでない絵もあるにはありましたが、弁護士《べんごし》さんはその手の悪ふざけが大嫌《だいきら》いで、今しがたのようなことをいつも言うのです。「まったく、そんなでたらめを子どもに吹《ふ》きこむやつがあるか！　ふまじめもいいかげんにしなさい、くだらんたわごとだ！」

ですが、学生さんに教えてもらったお花たちのお話は、何度も楽しく思い返すほどイーダちゃんの心に残《のこ》りました。花束《はなたば》のお花たちは徹夜《てつや》のダンスですっかりしおれ、見るからに具合が悪そうです。そこでイーダちゃんは、上にずらりとおもちゃを並《なら》べ、ひきだしにもきれいなものがぎっしり入った、すてきな小机《こづくえ》のあるお部屋へお花たちを連《つ》れていきました。そして、おもちゃのベッドに寝《ね》ていたお人形のソフィーに言《い》い渡《わた》しました。「悪いけど起きてよ、ソフィー。今夜はひきだしでお寝《ね》んねしてもらうね。かわいそうに、お花さんたちの具合が悪いの。だからあんたのベッドでゆっくり休ませてあげれば、また元気になってくれそうだもの」お人形のほうはベッドから出されてムスッとした顔で黙《だま》っています。ひとのベッドを横取りしてひどいじゃないのってわけですね。イーダちゃんはお花たちを寝《ね》かせると、ふとんをかけてあげました。それからこう声をかけました。明日の朝にはよくなるようにお茶をいれてきてあげる、だからおとなしくしていようね。あとは小さなベッドのカーテンをしっかり閉《と》じて、まぶしい朝日がさしこまないようにしてあげました。頭の中は学生さんに聞いたお話でいっぱいです。おかげで寝《ね》る前になってとうとう我慢《がまん》できなくなり、カーテンのすきまからお庭をこっそりのぞいてみました。お庭にはママが咲《さ》かせたきれいなお花が咲《さ》いていて、ヒヤシンスやチューリップや、ほかにもいろんなのがあります。イーダちゃんはうんと声をひそめて、「今晩《こんばん》はあんたたちのダンスパーティなんでしょ」と言いました。ところがお花たちはみごとに知らん顔、葉っぱを揺《ゆ》らしもしません。それでも今のは図星だったという感じがしました。ですから、ベッドに入ったあともしばらくは寝《ね》つけず、あのきれいなお花たちが王さまのお城《しろ》でいっせいにダンスしたら、どんなにすてきかしらと思《おも》い描《えが》いて、「花束《はなたば》のお花たちも、本当にダンスに出かけたのかな」などとつぶやくうちに眠《ねむ》ってしまいました。ふと目覚《めざ》めれば夜ふけです。それまではお花たちや、学生さんや、でたらめを言うなと学生さんを叱《しか》りつける、あのきゅうくつな弁護士《べんごし》さんがかわるがわる夢《ゆめ》に出てきました。寝室《しんしつ》は静《しず》かです。夜用ランプはベッドわきのテーブルに置《お》いてあり、パパもママも寝《ね》ています。「お花さんたち、ちゃんとソフィーのベッドで休んでるかな。見てこなくちゃ」と、イーダちゃんはうっすらと身を起こして、お花を置《お》いてきたおもちゃ部屋のドアをうかがいました。半開きのドア越《ご》しに耳をすませば、どうやらあっちでピアノを弾《ひ》く人がいるみたいです。かすかですが、聞いたこともないほどきれいな音色でした。「お花たち、みんなでダンスしてるのね。ああ、ちょっとでいいから見てみたいなあ」ですが、うかつに動いたらパパやママを起こしてしまいます。少しはこっちの部屋にも来てよと念《ねん》を送りますがなかなか伝《つた》わりませんし、すてきな音楽が気になって、とうとう寝《ね》るどころではなくなりました。子ども用ベッドからそろりと起きだし、こっそりとあのドアへ行ってのぞきます。うわあ、まぶしい！　ランプなんかひとつもないのに、窓《まど》からの月の光が部屋のすみずみまで明るく照《て》らしだして、昼間とそんなに変《か》わりません。窓《まど》辺《べ》のヒヤシンスやチューリップはひとつ残《のこ》らず植木鉢《うえきばち》を抜《ぬ》け出《だ》してきて二列になり、ターンしたり、長い緑の葉でお相手を抱《だ》きかかえてくるくる回ったりしながら、上品に踊《おど》っています。ピアノ伴奏《ばんそう》をつとめるのは、たしか夏に見かけた大きな黄色いユリで、「あの花って、イーダちゃんの仲《なか》よしのリーネさんそっくりだね」と学生さんが言ったのを覚《おぼ》えています。あれにはみんな笑《わら》いましたが、あらためてよく見れば、なるほどリーネさんにしか見えません。ピアノを弾《ひ》く時に黄ばんだ長い顔を左右に振《ふ》り、曲が盛《も》り上《あ》がってくると弾《ひ》きながらうなずくくせも同じです。まさにその時でした。大輪の紫《むらさき》のクロッカスがひと跳《と》びであの小机《こづくえ》のまん中に着地し、お人形のベッドに近づくとカーテンを開けたのです。寝《ね》ていたお花たちはいそいそと起きだし、そっちのダンスに混《ま》ぜてよと下のお花たちに合図しました。口が外れた古い木偶《でく》人形が、かわいらしいお花たちをていねいに出迎《でむか》えます。お花たちもさっきのしおれようはどこへやら、飛《と》んだりはねたり絶好調《ぜっこうちょう》ですが、イーダちゃんには気づきもしません。そんな時にあの小机《こづくえ》から何かが落ちる音がしました。見れば、お花や人形でにぎやかに飾《かざ》りたてた謝肉祭《しゃにくさい》の細いムチが飛《と》び降《お》りて、お花たちの仲間入《なかまい》りしようとしています。まあ、すべすべできれいではあるんですけどね。ろう細工の小さな人形が、あの弁護士《べんごし》さんのつば広帽子《ぼうし》とそっくりなのをかぶってムチに腰《こし》かけています。このムチはね、デンマークの子どもたちが楽しい謝肉祭《しゃにくさい》の朝に、早く早くと両親を叩《たた》き起《お》こすためのものなんですよ。謝肉祭《しゃにくさい》のムチは花々のあちらこちらをわがもの顔で飛《と》び回《まわ》り、朱塗《しゅぬ》りの三本脚《あし》でマズルカ踊《おど》りのステップを景気《けいき》よく踏《ふ》み鳴《な》らしてみせました。お花たちにはできません、だって体重が軽すぎて。するとあの帽子《ぼうし》のろう人形がにわかに大きくなり、紙の造花《ぞうか》たちにぐるりと睨《にら》みをきかせて文句《もんく》をつけました。「そんなでたらめを子どもに吹《ふ》きこむやつがあるか！　くだらんたわごとだ」あの弁護士《べんごし》さんそっくりの、へそ曲がりな顔です。ところが紙人形たちに寄ってたかって細い脚をビシバシ叩《たた》かれると、みるみる小さくなって元のちっぽけなろう人形に逆戻《ぎゃくもど》りしました。それがあんまりおかしくて、つい笑《わら》いを誘《さそ》われます。弁護士《べんごし》さん人形はずっと踊《おど》り続けるムチに引きずられ、縦横《じゅうおう》に幅《はば》をきかせようが、黒いつば帽子《ぼうし》のちびになろうが止まれません。そこでとうとう他のお花たちが総出《そうで》で止めにかかり、特《とく》にベッドを借《か》りたお花たちが熱心《ねっしん》になだめてくれました。とたんに小机《こづくえ》のひきだしを派手《はで》にドンドン叩《たた》く音がします。イーダちゃんのソフィー人形が他といっしょくたに寝《ね》かされているひきだしです。木偶《でく》人形が駆《か》けつけて小机《こづくえ》の端《はし》に腹《はら》ばいになると、ひきだしを細めに開けてくれました。

ソフィーはひきだしの中で立ち上がり、驚《おどろ》いて見回しています。「今夜はここのダンスパーティだったのね。それならそうと、なんでみんな教えてくれなかったの？」

「踊《おど》りませんか？」と、木偶《でく》人形が誘《さそ》いました。

「んまああ、わたしにはもったいないお相手ですこと」ソフィーはそんなイヤミを言うと背《せ》を向けました。それからはひきだしのふちに腰《こし》かけて、お花のどれかからのお誘《さそ》いを待っていましたが、さっぱり脈《みゃく》がありません。わざわざ「おほん、おっほん」などと咳《せき》ばらいしてみても、やっぱりだめでした。古ぼけた木偶《でく》人形のほうはひとりきりで踊《おど》っていますが、意外に上手《じょうず》です。ひきかえ、ちっとも目立たないソフィーは破《やぶ》れかぶれでひきだしから床《ゆか》に飛《と》び降《お》りました。とんでもない音がしてたちまち花たちが駆《か》けつけ、ベッドを貸《か》してもらった花たちはことさらソフィーを取《と》り巻《ま》いて、ケガはないかと気遣《きづか》ってくれます。でも、どこにもケガはありません。花束《はなたば》の花たちはすてきなベッドのお礼をくちぐちに述《の》べてソフィーをチヤホヤし、月の光がよく当たる中央へ連《つ》れ出《だ》すと、お花たちみんなで輪《わ》になって踊《おど》りだしました。輪《わ》の中心になったソフィーはすっかりごきげん、なんならずっとベッドを使ってもいいのよ、わたしはひきだしで全然《ぜんぜん》かまわないんだからと申し出ます。でも、お花たちはていねいにお礼を言いますが、「わたしたち、もう長くは生きられないの。朝までの命だから。だからお願《ねが》い、ぜひイーダちゃんに伝《つた》えて。わたしたちが死んだら、お庭のカナリアのお墓《はか》のそばに埋《う》めてくださいって。そしたら夏にまた生き返って、前よりきれいに咲《さ》いてあげるわ」

「だめよ、死ぬなんて」ソフィーはそんなお花たちにキスしてなぐさめました。

そこへぱっとドアが開いたかと思うと、たくさんの美しい花たちがダンスしながら入ってきました。これだけの花が、いったいどこから？　王さまのお庭以外《いがい》に思いつきません。先頭はすてきな二輪《りん》のバラで、めいめい小さな金の冠《かんむり》をかぶっています。

きっと、王さまとお妃《きさき》さまです。続《つづ》いてみごとなストックやカーネーションたちが入ってきて、居合《いあ》わせた花たち全員にいちいちおじぎしています。楽団《がくだん》もいますね。大輪《たいりん》のポピーやシャクヤクたちが、花のかんばせをまっ赤《か》にして豆のさやを吹《ふ》き鳴《な》らしています。青いヒヤシンスや白いスノードロップなどの小花たちが、鈴《すず》形のかわいい花をチリンチリンと本物の鈴《すず》みたいに鳴らしていきます。他のお花たちもたくさん。青スミレ、紫《むらさき》のスイカズラ、ヒナギク、スズラン。みんなでキスしながらの踊《おど》りは、いつまでも見ていられるほど美しいながめでした。

とうとうお花たちがお名残《なごり》を惜《お》しみながらさよならすると、イーダちゃんもそっとベッドへ戻《もど》って、さっき見たあれやこれやを夢《ゆめ》で見直しました。そうして朝起きてさっそく、お花たちはまだいるかなとあの小机《こづくえ》へ見に行きました。ベッドのカーテンを開けたら、お花はみんなそろっています。だけど一晩《ひとばん》でずいぶん枯《か》れて、もう見る影《かげ》もありません。ソフィーはイーダちゃんに入れられたひきだしで寝《ね》ていましたが、いかにも眠《ねむ》そうです。

「お花たちから何か頼《たの》まれたんじゃないの？」と、イーダちゃんに水を向けられても、寝《ね》ぼけているらしいソフィーは何も言いません。「薄情《はくじょう》な子ねえ、いっしょにダンスした仲間《なかま》なのに」

やがてイーダちゃんは、きれいな鳥の絵の小さな紙箱に、枯《か》れた花々をしまいました。

「これをお棺《かん》にしてあげるね、きれいでしょ。じきに従兄《いとこ》たちが遊びにきたら、手《て》伝《つだ》ってもらってお庭に埋《う》めてあげる。夏にはまた戻《もど》ってきて、もっとずっときれいに咲《さ》いてね」

イーダちゃんの従兄《いとこ》たちはヨナスとアドルフといい、どちらも優《やさ》しい子です。お父さんに買ってもらった弓矢をわざわざ見せに持ってきてくれました。イーダちゃんも死んだお花たちの話をして、お許《ゆる》しが出たらさっそく三人でお花の葬式《そうしき》をあげることにしました。弓をかついだ従兄《いとこ》たちが先頭を進み、花たちを入れたきれいな小箱を抱《かか》えたイーダちゃんがあとに続《つづ》きます。庭に小さなお墓《はか》を掘《ほ》り、イーダちゃんがお別《わか》れのキスをしてから箱ごと埋《う》めました。お葬式《そうしき》につきものの礼《れい》砲《ほう》用の銃《じゅう》も大砲《たいほう》もないので、かわりにアドルフとヨナスに、お墓《はか》を飛《と》び越《こ》すように矢を射《い》てもらいました。

お店の小人《こびと》さん

あるところに屋根裏《やねうら》部屋で暮《く》らし、年がら年中お金に困《こま》っている学生さんがいました。その建物《たてもの》を丸ごと持っていたのは食料品《しょくりょうひん》店のご主人で、一階がお店になっています。そちらには小人《こびと》の妖精《ようせい》が住みついていました。クリスマスがくるたびに、イブに出されるお椀《わん》いっぱいのおかゆに、ご主人のおごりでバターをたっぷりのっけてもらえたからです。それでずっと店に居《い》ついたおかげで、何かとためになるお話にもありつけました。

学生さんはある日の夕方、店の裏口《うらぐち》からろうそくとチーズを買いにきました。ひとり暮《ぐ》らしだと、お使いをしてくれる人は自分しかいません。お目当ての品を見つけてお金を払《はら》うと、店のご主人とおかみさんから「やあ、まいど」と声をかけられました。もっとも、おかみさんの口数《くちかず》はごくふつうの挨拶以上《あいさついじょう》でしたよ。もともとすごいおしゃべりですからね。学生さんのほうでも挨拶《あいさつ》を返しながら、チーズを包《つつ》んでもらった紙を読みかけたひょうしに、ぴたっと止まっちゃいました。その紙は何かの古本を破《やぶ》りとったページでしたが、かりにも詩をふんだんにおさめた古い書物に対して、やっていいことと悪いことがあります。

「そんな紙ならまだあるよ」ご主人に言われました。「どこぞのばあさんが、わずかなコーヒー豆とひきかえに置《お》いてったんだ。銅貨《どうか》八つで、本の残《のこ》りはまとめて持ってきな」

「じゃあ、よかったら」と、学生さん。「チーズはやめて、かわりにそっちをもらおう。夕飯《ゆうはん》はただのパンにバターだけでちっともかまわないけど、みすみすこの本を見《み》殺《ごろ》しにしたら、学問をする者の名折《なお》れだ。あんたはしっかり者で立派《りっぱ》な人なのに、詩心のなさときたら、そこの空《あ》き樽《だる》なみにすっからかんだな」

そいつは失言《しつげん》だよ、樽《たる》に失礼《しつれい》ってもんだ。と、ご主人が笑《わら》うと学生さんも笑《わら》いました。どうせ、ほんの冗談《じょうだん》ですからね。小人《こびと》だけが腹《はら》を立てました。この家全体の持ち主で、最高級《さいこうきゅう》のバターを売ってくれる店のあるじに、よくもそんな舐《な》めた口をきいたな。

その晩《ばん》の店じまいがすんで、学生さん以外《いがい》のみんなが寝《ね》てしまうと、小人《こびと》はおかみさんの長くて広い舌《した》を借《か》りてきました、寝《ね》ているうちは使い道がないのでね。この舌《した》を置《お》いた品物はなんであれ、本家本元のおかみさん顔負けのおしゃべりになれます。ただし、一度にひとつの品物しかしゃべれないのが不幸中《ふこう》の幸いでした。さもないと、いっせいにしゃべりだして手がつけられなくなります。手始めに、古新聞入れにしていた空《あ》き樽《だる》に舌《した》をのせた小人《こびと》が、「おまえさん、本当の本当に」とたずねます。「詩心なんかこれっぽっちもないのかい？」

「あるに決まってるだろ、詩ならなんでも来いだ」樽《たる》は言いました。「なんせ、紙面ふさぎの記事のしめくくりには付《つ》きものだし、わざわざ切《き》り抜《ぬ》きにされたりもする。はばかりながら、あんな学生なんかより、おれのほうがよっぽど中身があるんだぞ。そんなおれでも、この店の樽《たる》の中じゃ小さいほうだ」

次に小人《こびと》がしゃべらせたのはコーヒーミルで――すごい勢《いきお》いです。バターの桶《おけ》や手金庫にも舌《した》をのせ、店内すべての品々を一巡《じゅん》してからまたあの樽《たる》に戻《もど》りました。いちいち同じ質問《しつもん》をして回ったら、どの答えも樽《たる》とまったく同じでしたので、多数意見を重んじないわけにはいきません。

「ようし、あの学生に思い知らせてやる」小人《こびと》はそう言うと、裏階段《うらかいだん》から学生さんの屋根裏《やねうら》部屋へこっそりあがっていきました。まだろうそくがついていたので鍵穴《かぎあな》からのぞいてみたら、学生さんはさっき持っていったあのぼろぼろの古本を読んでいま

した。

ただ、その部屋の明るさときたら！　本の中からひと筋《すじ》の澄《す》んだ光がすっくと立ち上がり、とほうもなく大きな光の木となって学生さんの頭上に枝《えだ》をさしかけました。葉っぱはすべて鮮《あざ》やかな緑、花はすべて美女の顔をしています。きらめく黒い瞳《ひとみ》も、曇《くも》りひとつない青い瞳《ひとみ》もあります。たわわな実のそれぞれに星の輝《かがや》きが宿り、部屋いっぱいに歌が響《ひび》きわたります。

それまでに思《おも》い描《えが》いたこともないほど、すばらしい眺《なが》めでした。見たことも、聞いたこともありません。小人《こびと》はせいいっぱい背伸《せの》びして、光が消えてしまうまで鍵穴《かぎあな》を目でほじるようにのぞきこみました。そして、学生さんが灯《ひ》を消して寝《ね》てしまってもまだ、ドア越《ご》しにずっと聞き耳を立てていました。あの歌声は小さくはなりましたが、学生さんを寝《ね》かしつける美しい子守歌《こもりうた》となっていっそう心に響《ひび》く音色を奏《かな》で続《つづ》けたからです。

「こんなけっこうな住みかはどこにもないぞ」小人《こびと》は声を上げました。「ひょうたんから駒《こま》だった。いっそ学生さんの部屋に住みつきたいくらいだ」でもそこで、はたと一拍置《ぱくお》くと、あっちとこっちをきちんと比《くら》べた上で、ため息まじりに、「あの学生さんじゃあ、おかゆはもらえないよな」

それでこっそり店に戻《もど》ったら、そっちもギリギリでした。例《れい》の樽《たる》がおかみさんの舌《した》を使い切りそうになっていたのです。樽《たる》の上ぶたが思うところを洗《あら》いざらいぶちまけてから上下をひっくり返し、さあこれから樽底《たるぞこ》の番だという時に小人《こびと》がきて、取り返した舌《した》をおかみさんに戻《もど》しに行きました。ただしそれ以来《いらい》ずっと、店の品々は手金庫からたきぎまでこぞって樽《たる》に従《したが》うようになりました。みんなで樽《たる》を持ち上げてなんでも言いなりになり、店のご主人が夕刊紙《ゆうかんし》の美術演芸欄《びじゅつえんげいらん》を読んでいても、情報《じょうほう》の出どころは樽《たる》だろうとだれもかれもが決めてかかる始末《しまつ》です。

ですがあの小人《こびと》は、下のみんなの見識《けんしき》やうんちくにはもう満足《まんぞく》できなくなっていました。それどころか屋根裏《やねうら》部屋をまたあの光が照《て》らしたとたんに、まるで大きな錨綱《いかりづな》で引き上げられたようにそっちへ引《ひ》き寄《よ》せられて、鍵穴《かぎあな》から中をのぞかずにはいられません。そのたびに、わたしたちが嵐《あらし》の海を次から次へと押《お》し寄《よ》せる大波を見た時のように激《はげ》しく揺《ゆ》さぶられてなぜか泣《な》き出《だ》してしまうのに、涙《なみだ》の後にはすがすがしい力がみなぎってくるのでした。ああ、学生さんといっしょにあの光の木陰《こかげ》にいられたら！　でも、できません。鍵穴《かぎあな》からのぞくのがせいいっぱいです。寒い廊下《ろうか》に立つうちに、屋根のはね上げ戸から木枯《こが》らしがまともに吹《ふ》きつけてきて、もう凍《こご》えそうになりますが、あの光が消えて歌の調べが遠ざかり、風のうなりで聞こえなくなるまでは寒さも感じませんでした。うひゃっ！　小人《こびと》はがたがた震《ふる》えながら、いつもの居心地《いごこち》よく暖《あたた》かいねぐらに逃《に》げこみました。ちょうどクリスマスで――気前よくバターをのっけたおかゆのお椀《わん》が出してあります――こういうご主人だからこそ、小人《こびと》として居《い》つく甲斐《かい》があるのです。

　ところがある夜ふけ、小人《こびと》は、よろい戸を力まかせに叩《たた》く音で目が覚《さ》めました。外の人間たちが窓《まど》という窓《まど》をこれでもかと叩《たた》き続《つづ》け、夜回りの角笛が民家《みんか》からの出火を知らせ、通りの端《はし》から端《はし》まで火であかあかと染《そ》まっています。火元はこの食料品《しょくりょうひん》屋か？　隣《となり》の家か？　どこだ？　どいつもこいつも震《ふる》えあがってる！　お店のおかみさんは金のイヤリングをあわてて外し、自分のポケットにつっこんで隠《かく》しました。ご主人のほうは虎《とら》の子《こ》の株券《かぶけん》やら掛《か》け売《う》りの証文《しょうもん》やらを、女中は爪《つめ》に火をともすようにして買った大判《おおばん》の絹《きぬ》ショールを取りに駆《か》けこみます。だれもかれも自分のいちばん大事なお宝《たから》を助け出そうとし、小人《こびと》もそうしました。屋根裏《やねうら》部屋までひとっとび、すると学生さんは窓辺《まどべ》で落ち着きはらって隣《となり》の家の火事を見物していました。小人《こびと》は机《つくえ》の上からあのすごい本をひっつかみ、かぶっていた赤い帽子《ぼうし》の下に隠《かく》すと両手でしっかり押《お》さえました。ようし、家いちばんの宝《たから》はこれで大丈夫《だいじょうぶ》だ！　そのまま屋根へと逃《に》げ、そこからさらに煙突《えんとつ》のてっぺんに飛《と》び上《あ》がりました。その特等席《とくとうせき》から通り向かいの家の火事に照《て》らされながら、お宝《たから》入りの赤い帽子《ぼうし》をしっかり抱《かか》えていたのです。

さて、これで自分がどっちをご主人にしたいのか、本音がはっきりしました。でも、いざ火事がやんでしまうと、なまじゆっくり考えたせいで、またもや迷《まよ》いだしました。

「こうなったら、もうご主人を二本立てにするしかないじゃないか！」と思ったんですよ。「あのおかゆがあるんだもの、お店のご主人は捨《す》てがたいよ」

まさしく、それが人情《にんじょう》ですよね。わたしたちだってお店のご主人を選《えら》びますよ、おかゆのためなら。

みにくいアヒルの子

　ここはとても気持ちのいい、田舎《いなか》です。夏でしたから、小麦畑は黄金色《こがねいろ》、カラス麦は青々として、緑の草地には干《ほ》し草《くさ》が山と積《つ》まれていました。長くて赤い脚《あし》で歩きまわっているコウノトリは、エジプトの言葉でぺちゃくちゃおしゃべりをしています。なぜって、お母さんから教わった言葉だからです。畑と草地は森に囲《かこ》まれていて、森の真ん中には深い湖がいくつもあります。そう、田舎《いなか》はとても気持ちのいいところなんですよ。

　お日さまがたっぷりあたるあたりには、古いお屋敷《やしき》が一軒《けん》あって、そのまわりを深い水路が流れています。水路の壁《かべ》から水ぎわまでは大きなゴボウの葉っぱが茂《しげ》っていました。茎《くき》がすっと長く伸《の》びているので、小さな子どもなら一番背《せ》の高い葉っぱの下に立てるほどです。葉っぱがぎっしりと茂《しげ》っている様子は、まるで深い森のようでした。そこには巣《す》があって、アヒルが一羽《わ》座《すわ》っています。卵《たまご》をかえそうとしているのですが、ほとほと疲《つか》れていました。だいぶ時間がかかっていましたし、だれも会いにきてくれません。ほかのアヒルたちは、ここまで足を運んでゴボウの葉っぱの下に座《すわ》っておしゃべりをするよりも、水路のなかを泳ぎまわっているほうが、楽しかったのでね。

さて、ようやく卵《たまご》がひとつ、またひとつと割《わ》れてきました。「ピー！　ピー！」ひなが鳴きます。やがて卵《たまご》がみんなかえって、小さな頭がのぞきました。

「クワッ！　クワッ！」お母さんアヒルが鳴くと、ひなたちもいっせいに鳴きながら急いで卵《たまご》の殻《から》から出て、緑色の葉っぱの下であたりを見まわしました。お母さんは子どもたちが満足《まんぞく》するまでたっぷり見せてやりました。だって、緑色は目にいいのですから。

「世界ってすごく広いんだなあ！」ひなたちは口々に言いました。たしかに、卵《たまご》のなかにいたときよりも、広々としています。

「おまえたち、これが世界の全部だと思ってるの？」お母さんは言いました。「世界っていうのはね、この庭のずっと向こう側《がわ》まで、牧師《ぼくし》さんの畑のほうまで広がってるんだよ。お母さんだって、まだ行ったことないけど！　さあて、これでみんなそろったようだね」お母さんは立ち上がりました。「あらま、まだみんなそろってないわ。

一番大きい卵《たまご》が残《のこ》ってる。いつになったら、かえるんだろうねえ。もうあきあきしてきたよ」お母さんはそう言いながらも、また座《すわ》りこみました。

「どれどれ、どんな具合だい？」年寄《としよ》りのアヒルが様子を見にきて言いました。

「ひとつだけ、この卵《たまご》に時間がかかりましてね」座《すわ》っているアヒルが答えました。「割《わ》れないいんですよ。でも、ほかの子たちを見てやってくださいな。こんなにかわいいアヒルの子たちは見たことがないわ！ みんな、お父さんにそっくり。だけど、ひどいんですよ！ あの人ったら、会いにきてもくれなくて」

「どれどれ、割《わ》れない卵《たまご》を見せとくれ」年寄《としよ》りアヒルが言いました。「おやまあ、これは七面鳥の卵《たまご》じゃないか！ いつだったか、あたしもこんなふうにだまされてね、あの子たちにゃ、ずいぶん困《こま》らされたもんだ。なんたって、水をこわがるんだから。どうしても水に入らせることができなかったよ。ガアガアせっついたって、くちばしで突《つ》っついたって、お手上げでさ！ もういっぺん、見せてごらん。ああ、やっぱり七面鳥の卵《たまご》だ！ こんなものは放っといて、ほかの子たちに泳ぎを教えるこったね」

「いいえ、もう少し座《すわ》ってみますよ」お母さんアヒルは言いました。「もうずいぶん長く座《すわ》ってたんですから、夏のなかばぐらいまで座《すわ》ってたってかまやしません」

「好《す》きなようにおしよ」年寄《としよ》りのアヒルはこう言って、帰っていきました。

やがて、ようやく大きな卵《たまご》が割《わ》れました。「ピー！　ピー！」と鳴きながら、ひながはい出てきます。とても大きくて、みにくい子でした。

お母さんアヒルはその子をとっくり眺《なが》めて、言いました。「なんてまあ大きい子なんでしょ！　ほかの子たちと似《に》ても似《に》つかないわ。本当に七面鳥のひなかしら？　いいわ、いまにわかるから！　水に入れてやりましょ。なんだったら、突《つ》き落《お》としてやるわ！」

あくる日はすっきりと晴れて、お日さまが緑色のゴボウの葉っぱに降《ふ》り注《そそ》いでいました。お母さんアヒルはひなたちをみんな連《つ》れて、水路へ下りていきました。バシャッ！　お母さんアヒルが水に飛《と》びこみました。そして、「クワッ！　クワッ！」と鳴くと、ひなたちが次々に飛《と》びこみました。頭までもぐってしまいましたが、すぐに浮《う》かび上《あ》がってきて、上手《じょうず》に泳ぎました。ひとりでに脚《あし》が動いています。こうして、みんな水のなかに入りました。みにくい灰色《はいいろ》のひなも、いっしょに泳いでいます。

「そうよ、七面鳥なんかじゃないわ」お母さんアヒルは言いました。「ほら、脚《あし》の使い方も上手《じょうず》なら、背《せ》もしゃんと伸《の》ばしてる！　やっぱり、あたしの子だわ！　それに、ちゃんと見れば、まあ、けっこうかわいいじゃないの。クワッ！　クワッ！　さあ、ついておいで、世界へ連《つ》れていって、鳥飼《とりか》い場のみんなに会わせてあげる。でも、だれかに踏《ふ》まれちゃいけないから、お母さんのそばを離《はな》れちゃだめよ。猫《ねこ》にも気をつけて!」

こうして、みんなが鳥飼《とりか》い場に着くと、そこではたいへんな騒《さわ》ぎが持ち上がっていました。ふたつの家族がウナギの頭の取り合いをしていたのです。けれど、結局《けっきょく》、それは猫《ねこ》に横取りされてしまいました。

「いいかい、あれが世界というものなのよ!」お母さんはそう言って、くちばしをすり合わせました。お母さんだってウナギの頭がほしかったのですね。「じゃあ今度は、脚《あし》を使って」お母さんは説明《せつめい》にかかりました。「せっせと歩いていって、あそこにいるおばあさんアヒルの前で、お辞儀《じぎ》をするのよ。あのおばあさんはここで一番偉《えら》いの。なんたって、スペインの血筋《ちすじ》でいらっしゃるんだから。それで、あんなにまるまる太っているのよ。それに、ほら、脚《あし》に赤い布《ぬの》が巻《ま》いてあるでしょ。うっとりする

ほど、すてきじゃない。あれはアヒルがもらえる最高《さいこう》の名誉《めいよ》でね、あの方がいなくならないために、そして人間や動物がぱっと見分けられるようにという印《しるし》なの。さあさあ、急いで——あら、つま先を内側《うちがわ》に向けちゃだめ！　育ちのいいアヒルというものは、つま先をぐっと外へ向けるものなの。お父さんやお母さんみたいに——そうそう！　じゃあ、頭を下げて、こう言うのよ。「クワッ！」」

ひなたちはみんな、そのとおりにしました。けれど、まわりのアヒルたちはひなを見て、大きな声で言いました。

「見ろよ！　また大勢増《おおぜいふ》えたぞ。もうおれたちだけで充分《じゅうぶん》だってのに！　それに、なんだ！　なんてみにくいんだ、あのひなは！　あんなの、仲間《なかま》じゃないよ！」そして、一羽《わ》のアヒルがさっと飛《と》んでいき、そのひなの首にかみつきました。

「やめなさい」お母さんアヒルが言いました。「この子はだれにも悪さをしてないでしょ」

「そうだけど、あんまり大きくて、すごく変《へん》じゃないか」かみついたアヒルが言い返しました。「だから、突《つ》っついてやるのさ」

「そこのお母さんはかわいい子どもたちを連《つ》れてきなさったね！」脚《あし》に布《ぬの》を巻《ま》いたおばあさんアヒルが声をかけました。「みんなかわいいがの、その子だけはちょっとなあ。残念《ざんねん》なこった！　卵《たまご》からかえすのをやり直しできたらよかろうに！」

「そんなことはできません、奥《おく》さま」ひなたちのお母さんは言いました。「この子は見ばえこそよくありませんが、とても気立てがよくて、泳ぎもほかの子たちと同じくらい――いいえ、もっと上手《じょうず》なほどなんですよ！　育つうちにかわいくなるでしょうし、そのころには小さくなってるかもしれません！　卵《たまご》のなかに長くいすぎたもんで、普《ふ》通《つう》の形じゃないだけなんですよ」そして、そのひなの首をなで、羽をならしてやりました。「それに、この子は男の子ですからね」お母さんアヒルは続《つづ》けました。「かわいいかどうかなんて、大したことじゃありません。いまにとても強くなって、世界へ出ていくことでしょう！」

「まあ、ほかの子たちは文句《もんく》なくすばらしいさね」おばあさんアヒルは言いました。「よしよし、みんな、くつろいどくれ。そして、ウナギの頭を見つけたら、あたしに持ってくるんだよ」

そこで、みんなは気を楽にしました。けれど、一番最後《さいご》に卵《たまご》から出てきた、とてもみにくいアヒルの子は、かわいそうなことにアヒルばかりかニワトリからも、かみつかれたり、突《つ》っつかれたり、馬鹿《ばか》にされたりしました。

「こいつ、でかすぎ！」みんなが言いました。とりわけ七面鳥は、生まれつき蹴爪《けづめ》があるため、自分を皇帝《こうてい》だと思いこんでいましたから、帆《ほ》に風をたっぷりはらんだ船のように体をふくらませて、すぐそばまで迫《せま》ってきては、ゴロゴロと脅《おど》すように鳴きながら、顔を真っ赤にするのです。かわいそうなアヒルの子は居場所《いばしょ》がなく、かといってどこへ行ったらいいのかもわかりません。自分の姿《すがた》がみにくくて、鳥飼《とりか》い場のだれからも笑《わら》いものにされるので、みじめで仕方ありませんでした。

そんなふうに最初《さいしょ》の日が過《す》ぎ、それからあとは、どんどんひどくなりました。かわいそうに、このアヒルの子はみんなから追いかけられるのです。兄さんや姉さんたちですら意地悪をして、こんなふうに言います。「おまえみたいにみにくいやつは、猫《ねこ》にでも食われちまえ！」おまけに、お母さんまで、「どこか遠くへ行ってくれればいいんだけど！」と言うしまつでした。アヒルにはかみつかれ、ニワトリには突《つ》っつかれ、鳥たちにエサをやる娘《むすめ》には蹴飛《けと》ばされてばかりです。

やがて、アヒルの子は逃《に》げ出《だ》して生《い》け垣《がき》を飛《と》び越《こ》えました。やぶのなかにいた小鳥たちが驚《おどろ》いて舞《ま》い上《あ》がりました。

「これも、ぼくがあんまりみにくいせいなんだ！」アヒルの子はそう思い、目をつぶりましたが、そのまま走り続《つづ》けていきました。すると、野ガモが住んでいる広い沼《ぬま》地《ち》があったので、そこでひと晩《ばん》休むことにしました。もうくたくたでしたし、悲しくてたまりませんでした。

朝になるころ、舞《ま》い上《あ》がった野ガモたちは、新たにやってきた鳥を見つけました。

「きみ、いったいだれなんだい？」と野ガモたちに聞かれたアヒルの子は、まわりじゅうにできるだけ丁寧《ていねい》にお辞儀《じぎ》をしました。「なんてみにくいやつなんだ！」野ガモたちは続《つづ》けました。「でも、まあいいよ。ここで結婚《けっこん》してうちの家族にならないかぎりは！」

かわいそうな子！　まさか結婚《けっこん》だなんて考えてもいませんし、アシのあいだにいさせてもらって、沼《ぬま》の水をちょっと飲ませてもらいたいだけだったのにね。

こうして、アヒルの子がまるまる二日そこにいると、二羽《わ》のガンがやってきました。詳《くわ》しく言うと、オスのガンです。とても威勢《いせい》がよかったのは、どちらも卵《たまご》からかえってあまり日が経《た》っていないせいでした。

「ちょっと、きみ」一羽《わ》が声をかけてきました。「きみはずいぶんみにくいけど、そこがいいねえ。おれたちといっしょに来て、渡《わた》り鳥《どり》にならないか？　近くにある別《べつ》の沼《ぬま》に、かわいくてすてきなガンが何羽《なんわ》かいるんだ。みんな娘《むすめ》さんでね、クワッ、クワッって、にぎやかなんだよ。きみは見た目が悪いけど、それでも幸せになれるかもしれないぞ！」

「バン！　バン！」空に音が響《ひび》いて、その二羽《わ》のガンは死んで沼地《ぬまち》に落ち、水が血で真っ赤に染《そ》まりました。「バン！　バン！」また音がすると、ガンの群《む》れがいっせいにアシの茂《しげ》みから飛《と》び立《た》ちました。そのあと、また鉄砲《てっぽう》の音。大がかりな猟《りょう》が行われているのです。猟師《りょうし》たちは沼地《ぬまち》のまわりに伏《ふ》せて、チャンスを待っています。そう、なかには、アシのはるか上に伸《の》びている木の枝《えだ》に座《すわ》っている人もいました。青い煙《けむり》が暗い木々のあいだを雲のようにたなびき、水面のずっと上のほうを漂《ただよ》っています。

バシャッ！　バシャッ！　沼《ぬま》のぬかるみのなかに猟犬《りょうけん》が入ってきました。イグサやアシがあちこちに折《お》れ曲《ま》がります。かわいそうなアヒルの子は、こわくてたまりません！　頭を羽の下に隠《かく》そうと後ろを向きましたが、ちょうどそのとき、恐《おそ》ろしそうな大きい犬がすぐそばで立ち止まりました。舌《した》をだらりとたらし、目をらんらんと光らせています。そして、アヒルの子のすぐそばへ鼻を突《つ》き出《だ》して、鋭《するど》い歯を見せましたが、バシャッ！　バシャッ！　と行ってしまいました。アヒルの子には触《ふ》れもしないで。

「ああ、助かった！」アヒルの子はほっとため息をつきました。「ぼくがあんまりみにくいもんだから、犬でさえ、かみつきたくないんだな！」

アヒルの子がそのままじっとしているあいだ、鉄砲《てっぽう》の音が鳴りやまず、弾《たま》がアシの茂《しげ》みにバラバラと落ちてきました。ようやく午後遅《おそ》くなって、あたりが元どおり静《しず》かになりました。でも、かわいそうなアヒルの子は怖《こわ》くて動けません。何時間も経《た》ってからまわりをうかがうと、必死《ひっし》の勢《いきお》いで沼《ぬま》から逃《に》げ出《だ》しました。畑や草地を走っていきましたが、強い風が吹《ふ》いていたので、なかなか前へ進めません。

夕方ごろ、お百姓《ひゃくしょう》さんの小さなあばら家に行き着きました。その家はいまにも倒《たお》れそうでしたが、どっちへ倒《たお》れたらいいのかわからないので、なんとか立っているというありさまです。風がビュービューとあまりにも強く吹《ふ》きつけるので、アヒルの子はそこにしゃがむしかありませんでした。しかも、風はいっそうひどくなってきます。そのとき、入口の蝶番《ちょうつがい》のひとつがはずれて扉《とびら》がななめになっていることに気づきました。その隙間《すきま》から部屋に入っていけそうだったので、アヒルの子はそうしました。

そこには、おばあさんがオス猫《ねこ》とめんどりといっしょに住んでいました。オス猫《ねこ》は「坊《ぼう》や」と呼《よ》ばれていて、背中《せなか》を丸めたり、喉《のど》をゴロゴロ鳴らしたりできます。静電《せいでん》気《き》を起こすことだってできるのですが、そうするには体の毛を逆《さか》さになでてもらわなければなりません。めんどりは脚《あし》がとても短いので、「足みじかちゃん」と呼《よ》ばれています。上等な卵《たまご》を産《う》むので、おばあさんから自分の子どものようにかわいがられていました。

朝になると、おかしな姿《すがた》のアヒルの子はすぐに見つかってしまい、オス猫《ねこ》は喉《のど》をゴロゴロ鳴らし、めんどりはコッコッと言いはじめました。

「おや、どうしたんだね？」おばあさんはそう言って、あたりを見まわしました。ですが、目がよく見えませんので、アヒルの子のことを、迷《まよ》いこんできた太ったアヒルだと思ったのです。「こりゃあ、もうけものだわい！」おばあさんは言いました。「これからはアヒルの卵《たまご》も食べられるだろうて。オスでなきゃいいが。まあ、じきにわかるってもんさ！」そんなわけで、アヒルの子は試《ため》しに三週間、飼《か》われることになりました。けれど、卵《たまご》は産《う》みませんでした。

さて、オス猫《ねこ》はこの家の主人を、めんどりは女主人を気取っていて、いつもこう言っていました。「世界は自分たちふたり！」というのも、それぞれ世界の半分は自分だと、それも、何よりもすばらしい半分だと思っていたからです。アヒルの子は、別《べつ》の考え方だってあるはずだと思いましたが、めんどりは認《みと》めません。

「あんた、卵《たまご》を産《う》めるの？」めんどりがたずねました。

「ううん」

「だったら、黙《だま》ってなさいよ」

オス猫《ねこ》も言いました。「おまえ、背中《せなか》を丸くしたり、喉《のど》をゴロゴロ鳴らしたり、静《せい》電気《でんき》を起こしたりできるのか？」

「ううん」

「だったら、賢《かしこ》い人が話してるときは、自分の考えを言っちゃいけないな」

というわけで、アヒルの子は隅《すみ》のほうに座《すわ》って、悲しい気持ちでいました。すると、さわやかな空気やお日さまのことが頭に浮《う》かんできました。そして、水の上を泳ぎたくてたまらないという不思議《ふしぎ》な思いが強くなり、そのことをめんどりに話さずにはいられなくなったのです。

「あんた、なんてことを考えてるの？」めんどりは大きな声を出しました。「なんにもすることがないから、そんな変《へん》なことを思いつくのね。卵《たまご》を産《う》むとか、喉《のど》をゴロゴロ鳴らすとかすれば、そんなことは忘《わす》れちゃうわよ」

「でも、水の上を泳ぐのは、とても楽しいんです」アヒルの子は言いました。「水面の下に頭を入れたり、底《そこ》のほうへもぐったりするのも、それはそれは楽しいんですよ！」

「はいはい、さぞかし楽しいんでしょうね」めんどりが言いました。「あんた、気がおかしくなったのね。オス猫《ねこ》に聞いてごらん。あたしの知るかぎり一番賢《かしこ》い人だから。水の上を泳いだり水の底《そこ》へもぐるのが、好《す》きですかって。あたしが好《す》きかどうかなんて、教えないわよ。あたしたちのご主人のおばあさんにも聞いてごらん。世界中でだれよりも賢《かしこ》い人だから。あのおばあさんが泳ぎたがったり、水のなかに頭を入れたがったりすると思う？」

「あなたたちにはわからないと思います」アヒルの子は言いました。

「あたしたちにはわからないだって？　だったら、だれにわかるんだい？　あんた、まさかオス猫《ねこ》やおばあさんよりも賢《かしこ》いつもりでいるんじゃないだろうね。あたしのことは、さておき。子どものくせに、思い上がるんじゃないよ。いろいろと親切にしてもらってることを、ありがたく思わなくちゃ。暖《あたた》かい部屋に入れてもらって、仲間《なかま》にしてもらって、あれこれ教わってるでしょ？　なのに、馬鹿《ばか》なこと言っちゃってさ。そんな人といっしょにいるなんて、ちっともうれしくない。いいかい、あたしはあんたのために言ってるんだよ。あんたにとっちゃ耳の痛《いた》いことを言ってるけど、それこそ本当の友だちっていうもんなんだ！　いいから、卵《たまご》を産《う》むとか、喉《のど》をゴロゴロ鳴らすとか、静電気《せいでんき》を起こすとかの練習をおし！」

「やっぱり、ぼくは広い世界へ出ていこうかなと思うんだけど」アヒルの子は言いました。

「じゃあ、そうすればいいわ、ご勝手に」

そこで、アヒルの子は出ていきました。水の上を泳いだり、水にもぐったりしましたが、みにくいせいで、ほかのどんな動物からも馬鹿《ばか》にされました。

やがて、秋になりました。森の木の葉が黄色や茶色になり、風に吹《ふ》かれて舞《ま》いました。空気がずいぶん冷《つめ》たくなり、雲はあられや雪を含《ふく》んでどんよりと垂《た》れこめています。柵《さく》にとまったカラスが寒くて仕方なさそうに、「カー！　カー！」と鳴きました。その姿《すがた》を想像《そうぞう》するだけで、ぶるぶる震《ふる》えてしまいますよね。かわいそうに、アヒルの子もさぞかし寒いことでしょう！

ある夕方、ちょうどお日さまがとても美しく沈《しず》んでいくころ、大きくて立派《りっぱ》な鳥の群《む》れが茂《しげ》みから飛《と》び立《た》ちました。アヒルの子は、そんな美しいものを初《はじ》めて見ました。まぶしいほど真っ白で、長いすらりとした首をしています。それは白鳥で、とても変《か》わった鳴き声をあげながら、すてきな長い翼《つばさ》を広げ、寒いところからもっと暖《あたた》かな国へ、凍《こお》らない湖へと、飛《と》んでいくところでした。白鳥たちは空高くぐんぐん上がっていきます。その姿《すがた》を見ていると、みにくいアヒルの子はなんだかとても不思議《ふしぎ》な気持ちになりました。そして、水のなかで車輪《しゃりん》のようにくるくるまわり、白鳥のほうへ首を伸《の》ばすと、自分でもぎょっとするような大きい変《か》わった叫《さけ》び声《ごえ》をあげたのです。ああ！　あの美しい鳥、幸せそうな鳥のことは、けっして忘《わす》れないでしょう。その姿《すがた》が見えなくなるや、アヒルの子は水の底《そこ》までもぐりました。ふたたび浮《う》かび上《あ》がってきたときは、すっかり我《われ》を忘《わす》れそうでした。あれがなんという鳥なのか、どこへ飛《と》んでいくところなのかもわかりません。けれど、これまで好《す》きになった何よりも、もっと好《す》きになりました。うらやましいとは、これっぽっちも思いませんでした。あれほど美しくなりたいなんて、望《のぞ》めるはずがないでしょう？　アヒルたちがいっしょにいることを許《ゆる》してくれさえしたら、それだけでもう満足《まんぞく》なんです。なんてかわいそうな、みにくいアヒルの子！

冬の寒さはどんどんひどくなるばかりです！　アヒルの子は水がいちめんに凍《こお》ってしまわないよう、泳ぎまわっていなければなりませんでした。それでも、ひと晩《ばん》ごとに、泳げる場所がどんどん狭《せま》くなっていきます。張《は》った氷が分厚《ぶあつ》くなってきて、ミシミシ音を立てました。アヒルの子は氷に閉《と》じこめられないよう、ひっきりなしに脚《あし》を動かしていなければなりません。けれど、しまいにはぐったり疲《つか》れて、まったく動けなくなり、やがて氷に閉《と》ざされてしまったのです。

すると、朝早く、お百姓《ひやくしよう》さんが通りかかってアヒルの子を見かけました。お百姓《ひやくしよう》さんは氷の上を歩いていき、脱《ぬ》いだ木靴《きぐつ》で氷をこなごなに砕《くだ》き、アヒルの子を家にいるおかみさんのところへ持ち帰りました。そこで、アヒルの子は息を吹《ふ》き返《かえ》したのでした。その家の子どもたちがアヒルの子と遊ぼうとしましたが、アヒルの子はいじめられると思い、怖《こわ》くなってミルク鍋《なべ》のなかへ飛《と》びこんだので、ミルクが部屋じゅうに飛《と》び散《ち》ってしまいました。おかみさんが悲鳴をあげて手を叩《たた》くと、アヒルの子は今度はバターの入っている桶《おけ》に、そのあとは粗《あら》びき粉《こ》の樽《たる》に飛《と》びこんで、また飛《と》び出《だ》しました。そのときのアヒルの子の姿《すがた》ときたら！　おかみさんは金切り声をあげながら火ばさみでアヒルの子を叩《たた》きにかかるし、子どもたちはアヒルの子を捕《つか》まえようとしてごっつんこするしで、笑《わら》ったりわめいたり、もうたいへんです！　運よく扉《とびら》が開いていたので、かわいそうなアヒルの子はそこから降《ふ》ったばかりの雪のなか、茂《しげ》みへと抜《ぬ》け出《だ》せました。

厳《きび》しい冬のあいだにアヒルの子が耐《た》えなければならなかった、みじめでつらいことを全部お話しするのは、とても悲しくてできません。アヒルの子が沼《ぬま》のアシのあいだでじっとしていると、やがてお日さまがまた暖《あたた》かく輝《かがや》いてきました。ヒバリが歌っています。美しい春になったのでした。

そのとき、ふとアヒルの子は羽ばたきをしました。すると、翼《つばさ》がこれまでよりも強く空気を打って、体がぱっと浮《う》くではないですか。気がつくと、大きな庭にいました。リンゴの木に花が咲《さ》き、ライラックがよい香《かお》りを放って、その長い緑の枝《えだ》をうねって流れる水路に垂《た》らしています。ああ、ここはなんて美しい、春のさわやかさにあふれているのでしょう！　そこへ、木の茂《しげ》みから美しい真っ白な白鳥が三羽《わ》、姿《すがた》を現《あらわ》しました。翼《つばさ》を波打たせながら、軽《かろ》やかに水面を泳いでいきます。このすてきな鳥を見たことがあったアヒルの子は、不思議《ふしぎ》な悲しさに包《つつ》まれました。

「あの立派《りっぱ》な鳥のところへ飛《と》んでいこう！　ぼくなんか殺《ころ》されちゃうかもしれない。こんなにみにくいのに、ずうずうしく近づいたりしたら。でも、いいや！　アヒルにかみつかれたり、ニワトリに突《つ》っつかれたり、鳥飼《とりか》い場の娘《むすめ》さんに蹴《け》られたり、冬じゅうおなかをすかせていたりするよりは、あの鳥たちに殺《ころ》されちゃったほうがましだ！」

こうして、アヒルの子は水のほうへ飛《と》んでいき、美しい白鳥たちのところまで泳ぎました。白鳥たちはアヒルの子を見ると、翼《つばさ》を波打たせて近寄《ちかよ》ってきました。「殺《ころ》しちゃってください！」かわいそうなアヒルの子は水面に頭を垂《た》れ、死ぬのを待ちました。すると、澄《す》んだ水に何が見えたでしょう？　目の前に映《うつ》る自分の姿《すがた》です。でも、それは不格好《ぶかっこう》でぶざまな暗い灰色《はいいろ》のみにくい自分ではありません。アヒルの子は白鳥になっていたのでした。アヒルの飼育場《しいくじょう》で生まれたからって、そんなことは関係《かんけい》ありません。そもそも白鳥の卵《たまご》からかえったのですから。

これまでずっとつらくてみじめだっただけに、喜《よろこ》びはひとしおです。美しいものに囲《かこ》まれているいま、幸せをしみじみとかみしめました。大きな白鳥たちがそばに泳いできて、くちばしで体をなでてくれました。

そのとき、庭に小さな子どもが何人か入ってきて、水にパンや麦粒《むぎつぶ》を投げ入れました。すると、一番小さい子が大きな声で言いました。「新しい白鳥がいる！」ほかの子

どもたちも歓声《かんせい》をあげました。「ほんとだ、新しい白鳥が来た！」そして、みんなで手を叩《たた》きながら小《こ》躍《おど》りすると、お父さんやお母さんのところへ走っていきました。

　そのあと、みんながパンやお菓子《かし》を水に投げ入れ、口々にこう言いました。「新しい白鳥が一番きれい！　あの若《わか》くて美しいことといったら！」すると、年上の白鳥たちが、新しい白鳥に頭を下げたのです。

新しい白鳥はあまりにも恥《は》ずかしくて、顔を翼《つばさ》の下に隠《かく》しました。どうしたらいいのか、わからなかったのです。とても幸せでしたが、威張《いば》ったりはしませんでした。よい心を持っていると、威張《いば》ったりしないものなのですよ。これまでどんなにいじめられたり嫌《きら》われたりしたかを思い返しましたが、いまでは美しい鳥のうちでも一番美しいとだれもが口をそろえて言います。ライラックまでもが、白鳥の前の水面に枝《えだ》をすっと下ろしました。お日さまは暖《あたた》かく穏《おだ》やかな陽射《ひざ》しを降《ふ》り注《そそ》いでいます。新しい白鳥は翼《つばさ》を波打たせ、すんなりした首を伸《の》ばして、心の底《そこ》からうれしそうな声をあげました。「こんなに幸せになれるなんて夢《ゆめ》にも思わなかったなあ、みにくいアヒルの子だったときは！」

コガネムシ

皇帝《こうてい》のお気に入りの馬が、金の蹄鉄《ていてつ》を打ってもらいました。どの足にも金の蹄鉄《ていてつ》です。

さて、それはどうしてでしょう？

その馬は美しく、脚《あし》はすんなりと伸《の》び、目は賢《かしこ》そうに輝《かがや》き、たてがみはヴェールのようにうなじにかかっていました。皇帝《こうてい》を乗せて、火薬の煙《けむり》や弾丸《だんがん》の雨のなかを突《つ》き抜《ぬ》け、弾丸《だんがん》がひゅうひゅう飛《と》んでいく音を聞きました。敵《てき》が攻《せ》めてくると、かみついたり、蹴飛《けと》ばしたりして、戦《たたか》いに加《くわ》わったのです。皇帝《こうてい》を乗せて、敵《てき》の倒《たお》れた馬の上を飛《と》び越《こ》え、皇帝《こうてい》の輝《かがや》く金の冠《かんむり》と命を救《すく》ったこともあります。そう、輝《かがや》く金の冠《かんむり》よりももっと大切な、命をですよ。そんなわけで、皇帝《こうてい》の馬はどの足にも金の蹄鉄《ていてつ》を打ってもらったのです。

そこへ、コガネムシがはい出してきました。「最初《さいしょ》は大きな動物、次は小さな動物だね」とコガネムシは言いました。「でも、大きいから、いいってわけじゃないよ」

そう続《つづ》けると、自分の細い脚《あし》を伸《の》ばしました。

「おや、どうしてほしいんだね？」鍛冶屋《かじや》が聞きました。

「金の靴《くつ》がほしいんだ」コガネムシが答えました。

「ほう、おまえさん、どうかしてるみたいだな！」鍛冶屋《かじや》が声を張《は》り上《あ》げました。

「自分も金の靴《くつ》がほしいだって？」

「そりゃあもう、ほしいよ、金の靴《くつ》が！」コガネムシは言いました。「ぼくだって、そこにいて大事にされて、ブラシをかけてもらって、食べ物や飲み物を目の前に置《お》いてもらえる動物と同じくらい、偉《えら》いよね？　ぼくだって、皇帝《こうてい》の馬屋にいるんだから」

「だけど、この馬はどうして金の靴《くつ》をもらったのかな？」鍛冶屋《かじや》はたずねました。

「それがわからないのかい？」

「わからないだって？　ぼくを馬鹿《ばか》にしてるってことぐらい、わかるさ」コガネムシは言いました。「意地悪しようとしてるんだな。だったら、広い世界へ出てってやるぞ」

「ああ、出ていくがいい！」鍛冶屋《かじや》は言いました。

「いやなやつだ！」コガネムシはそう言って馬屋を出ると、少し先まで飛《と》んでいきっていきます。

ました。しばらくすると、きれいな花壇《かだん》があって、バラやラベンダーがいい香《かお》りを放

「ここはきれいでしょう?」赤い盾《たて》のような形の羽に黒い点々をつけた、小さなテントウムシの一匹《ぴき》が、声をかけてきました。「ここはなんて甘《あま》い香《かお》りなのかしら、なんてすてきなのかしら!」

「ぼくはここよりもっといいところに慣《な》れてるんだよ」コガネムシが言いました。

「ここがきれいだって? とんでもない、こやしの山もないくせに」

そこで、さらに飛《と》んでいくと、大きなアラセイトウの陰《かげ》に、アオムシが一匹《ぴき》はっていました。

「この世界はなんてきれいなの!」アオムシは言いました。「お日さまはぽかぽか暖《あたた》かいし、もう幸せいっぱいだわ! そして、ある日、わたしは眠《ねむ》るの。みんなは死ぬって言うけど、そのあと目覚《めざ》めたら、チョウになるのよ」

「そんなことを夢見《ゆめみ》てるなんて、あきれたな!」コガネムシが言いました。「チョウになって飛《と》びまわるだって! ぼくは皇帝《こうてい》の馬屋から来たんだけどね、そこのだれだって、そんなことは夢見《ゆめみ》ないよ。ぼくのはき捨《す》てた金の靴《くつ》をはいてる、皇帝《こうてい》お気に入りの馬だってね。羽が生えるだって! 飛《と》ぶだって! へえ、だったら、飛《と》んでやろ

うじゃないか！」こうして、コガネムシは飛《と》んでいきました。「腹《はら》なんか立てたくないけどさ、それでも、むかっとしちゃうんだよ」

そのあとすぐ、コガネムシは広い芝生《しばふ》の上に下りました。そこにしばらく横になって、寝《ね》ているふりをしていましたが、そのうち本当にうとうとしてしまいました。ところがです！　いきなり雲から雨がざあざあ降《ふ》ってきました。その音で目が覚《さ》めたコガネムシは、土のなかにもぐりこもうとしましたが、できませんでした。何度もひっくり返ってしまうのです。そこで、まずは腹《はら》ばいになって泳ぎ、次に仰向《あおむ》けになって泳ぎました。飛《と》ぼうなんて、思いつきもしませんでした。その場から生きて抜《ぬ》け出《だ》せる望《のぞ》みはなさそうでしたので、そこに転がったまま、じっとしていました。

やがて、雨が小降《こぶ》りになったとき、コガネムシはまばたきをして目に入った水を払《はら》いました。すると、何か光る白いものが見えました。漂白《ひょうはく》するために広げてあったテーブルクロスです。コガネムシはそこまでたどり着くと、濡《ぬ》れているテーブルクロスのひだにもぐりこみました。まあ、馬屋のほかほかした馬糞《ばふん》のなかほど居心地《いごこち》がいいわけではありませんが、手近なところに、これよりましな場所などなかったので、そこにいることにしました。一日とひと晩《ばん》もいたんですよ。そのあいだ、雨はずっと降《ふ》っていました。朝になって、ようやくはい出たときには、天気にすっかりいらいらしていました。

テーブルクロスの上には、カエルが二匹座《ひきすわ》っていました。こんなにうれしいことはないというふうに、目をきらきら輝《かがや》かせています。

「すばらしい天気だねえ」一匹《ぴき》が言いました。「なんて、すがすがしいんだ！　このテーブルクロスは水気を含《ふく》んでちょうどいい具合だしね。泳ぎたくて、後ろ足がむずむずしちゃうなあ」

「ほんと、あのツバメに聞いてみたいもんだよ」もう一匹《ぴき》が言いました。「ずいぶん遠くまで飛《と》んでいくけど、外国のいろんな国へ旅をしたって、ここよりもいい気候《きこう》のところが見つかりますかって。もう、この湿《しめ》り気《け》ときたら、たまらないね！　まさに、じめじめした溝《みぞ》のなかにいるみたいだよ。これが好《す》きじゃないなんて、自分の生まれた国を愛《あい》してるとは言えないな」

「だったら、きみたちは皇帝《こうてい》の馬屋へ行ったことがないんだな？」コガネムシがたずねました。「あそこは湿《しめ》っぽいだけじゃなくて、暖《あたた》かくて、いい匂《にお》いがするんだよ。それが、ぼくにぴったりの気候《きこう》なのさ！　だけど、それを持って旅するわけにはいかないだろ。ここには、ぼくみたいな身分の高いものが住んでくつろげる、こやしの山はないのかい？」

カエルたちはコガネムシの言うことがわからないか、わかろうとする気がありませんでした。

「二度と聞くもんか！」コガネムシは吐《は》きすてるように言いました。もう三回も繰《く》り返《かえ》したずねたのに、なんの返事もなかったのです。

そこで、コガネムシがもう少し遠くへ行くと、割《わ》れた壺《つぼ》のかけらがありました。そんなところに転がっているはずはないのですが、まあ、転がっているので、雨や風をよける場所にもってこいでした。そこには、ハサミムシの家族がいくつか住んでいました。あまり広い場所は必要《ひつよう》じゃありませんし、仲間《なかま》がほしかったからです。女たちは深い母性愛《ぼせいあい》にあふれていたので、どの母親も自分の子どもがだれよりもきれいで賢《かしこ》いと褒《ほ》めました。

「うちの坊《ぼう》やは婚約《こんやく》しましたのよ！」とひとりのお母さんが言いました。「無邪気《むじゃき》でかわいいんですの！　いつか牧師《ぼくし》さんの耳にもぐりこみたいというのが、たっての願《ねが》いなんです。なんてあどけなくて愛《あい》らしいのかしら。でも、婚約《こんやく》したからには、落ち着いてくれるでしょうね。母親にとっては、うれしくてたまりませんわ！」

「うちの息子《むすこ》はね」ともうひとりのお母さん。「卵《たまご》からはい出てきたばかりなのに、旅に出ましたのよ。もう元気はつらつとしていましてね。走って角を折《お》ってしまうほどの勢《いきお》いなんですの。母親にとっては、このうえもなくうれしいことですわ！　そうじゃありませんか、コガネムシさん？」みんなには、このよそから来たのがだれか、羽の形からわかったのです。

「おふたりのおっしゃるとおりですよ」コガネムシがそう言うと、ハサミムシは部屋のなかへどうぞと、コガネムシを招《まね》き入《い》れました。といっても、壺《つぼ》のかけらの下へコガネムシが入れるだけ奥《おく》へ、ということですけどね。

「さあ、わたしのかわいいハサミムシちゃんを見てやってくださいな」三番め、四番めのお母さんが言いました。「だれよりも愛《あい》らしくて、とってもやんちゃなんですよ。たまにおなかが痛《いた》いときのほかは、おいたなんかしませんわ。残念《ざんねん》ながら、この年ごろの子はおなかを壊《こわ》しやすいのですけれど」

このように、どのお母さんも自分の子どもの自慢《じまん》をしました。子どもたちもおしゃべりに加《くわ》わり、しっぽについている小さなハサミでコガネムシのひげを引《ひ》っ張《ぱ》ろうとします。

「あらまあ、わんぱくちゃんったら、いつも何かを思いつくのねえ！」親馬鹿《おやばか》なお母さんたちは、なんでもうれしくて仕方ありません。けれど、コガネムシはうんざりしたので、こやしの山まではかなり遠いのかどうか、たずねました。

「あら、それは広い世界の果《は》てですよ。溝《みぞ》の向こう側《がわ》ですわ」ハサミムシが答えました。「わたしの子どもには、そんな遠いところまで行ってほしくありませんわねえ。そんなことになったら、わたし、死んでしまいますもの」

「ともかく、行けるだけ遠くへ行ってみるさ」コガネムシはそれだけ言うと、別《わか》れも告《つ》げずに出かけました。これが何より礼儀正《れいぎただ》しいやり方だとでも思っているのでしょう。溝《みぞ》のそばで、何匹《なんびき》かの仲間《なかま》に出会いました。みんな、コガネムシです。

「わたしたちはここに住んでいるんですよ！」とそのコガネムシたちは言いました。「それはもう居心地《いごこち》がいいんです。この肥《こ》えた泥《どろ》のなかにお入りになりませんか？旅をなさって、さぞかしお疲《つか》れのことでしょう」

「それはもう」とコガネムシは答えました。「雨にさらされたうえに、テーブルクロスの上に横になるはめになって。清潔《せいけつ》ってのは、いつだって体にこたえるもんだね。

おまけに、片方《かたほう》の羽を痛《いた》めちまったんだ。壺《つぼ》のかけらの下で、すきま風に吹《ふ》かれたまま立ってたせいさ。ようやく自分と同じ仲間《なかま》といっしょにいられて、こんなにほっとすることはないよ」

「あなたはこやしの山からいらしたんですか？」一番年をとったコガネムシがたずねました。

「いやいや！　もっと立派《りっぱ》なところからだよ！」コガネムシは声を大にして言いました。「ぼくは皇帝《こうてい》の馬屋から来たんだ。そこで、金の靴《くつ》をはいて生まれたんだよ。秘密《ひみつ》のお使いで旅をしてるんだけど、それについちゃ何も聞かないでくれ。秘密《ひみつ》を漏《も》らすつもりはないからね」

そう言うと、コガネムシは肥《こ》えた泥《どろ》のなかに入っていきました。そこには、コガネムシの娘《むすめ》たちが三人いました。娘《むすめ》たちはくすくす笑《わら》ったのですが、それはなんと言えばいいのか、わからなかったからです。

「三人とも、まだ結婚《けっこん》のお相手が決まってないんですよ」とお母さんが言いました。すると、娘《むすめ》たちはまたくすくす笑《わら》いました。今度は、恥《は》ずかしかったからです。

「皇帝《こうてい》の馬屋にだって、これほどの美人はいなかったなあ」コガネムシはひと休みしながら言いました。

「娘《むすめ》たちを傷《きず》ものにされては困《こま》りますよ。まじめな気持ちがなければ、話しかけないでください。でも、そのことは心配する必要《ひつよう》なさそうね。では、認《みと》めてあげましょう！」

「おめでとう！」ほかのコガネムシたちが声をそろえて言いました。というわけで、このコガネムシは婚約《こんやく》しました。そのあとすぐに、結婚《けっこん》が続《つづ》きました。ぐずぐずしている理由など、ありませんからね。

次の日は、とても楽しく過《す》ぎました。その次の日は、まあまあでした。でも、三日めには、奥《おく》さんの食べ物の心配をしなくてはならないときが、やってきました。たぶん、子どもたちの食べ物の心配だって、しなくてはならないでしょう。

「こりゃあ、まんまとだまされちまったぞ」とコガネムシは考えました。「だったら、お返しに、あいつらをだましてやるしかないな」

そう言って、そのとおりにしました。そこを出ていったのです。丸一日、丸ひと晩《ばん》たっても、帰りません。奥《おく》さんはひとり残《のこ》され、寂《さび》しい後家《ごけ》さんになってしまいました。

「なんとまあ！」とほかのコガネムシたちは言いました。「とんでもないごろつきを、家族にしてしまったもんだよ。出ていってしまうとはね。ひとり残《のこ》された奥《おく》さんは、こっちのお荷物になるじゃないか」

「だったら、また娘《むすめ》に戻《もど》るしかないわね。あたしの子どもになって、ここにいればいいじゃないの」とお母さんが言いました。「まったく、うちの子を捨《す》てるなんて、ひどいろくでなしだよ！」

そのころ、旅に出たコガネムシは、キャベツの葉っぱの溝《みぞ》にできた水路を進んでいました。朝になると人がふたりやってきて、コガネムシを見つけるとつまみ上げ、何度もひっくり返しました。ふたりともたいへん賢《かしこ》そうでしたが、とりわけ男の子は頭が良《よ》いらしく、こう言いました。

「アラーの神は黒い岩のなかの黒い石のなかの黒いコガネムシをごらんになったって、コーランに書かれてなかったかな？」そして、コガネムシという言葉をラテン語に直し、その種類《しゅるい》や性質《せいしつ》まで詳《くわ》しく述《の》べました。もう一方の年上の学者は、それを家に持って帰るよう勧《すす》めました。けれど、男の子はこれと同じくらい良《よ》い標本《ひょうほん》をもう持っていると、反対しました。そんなことを言うなんて失礼《しつれい》じゃないかとコガネムシは思ったので、男の子の手からぱっと飛《と》び立《た》ちました。もう羽が乾《かわ》いていたおかげで、かなり遠くまで飛《と》んでいくと、温室があありました。ガラスの窓《まど》がひとつあいていたのですんなり入り、新鮮《しんせん》なこやしのなかにもぐりこみました。

「ここはなんて気持ちがいいんだ！」コガネムシは言いました。

まもなく眠《ねむ》りこんだコガネムシは夢《ゆめ》のなかで、皇帝《こうてい》のお気に入りの馬が倒《たお》れたので、その金の蹄鉄《ていてつ》をもらったうえ、あとふたつ作ってもらう約束《やくそく》をしました。

なんとありがたいことでしょう。目が覚《さ》めると、こやしからはい出して、あたりを眺《なが》めました。なんとまあ、すばらしい温室でしょう！　遠くのほうにはヤシの木が高々とそびえ、そこにお日さまの光が射《さ》して、透《す》き通《とお》って見えます。その下には、火のように赤い花、琥珀《こはく》のように黄色い花、降《ふ》ったばかりの雪のように白い花などが、青々とした葉をつけて鮮《あざ》やかにあふれるほど咲《さ》いていました！

「こりゃあ、またとない見事な植物だな」とコガネムシは言いました。「これが枯《か》れたら、さぞかしうまいごちそうになるだろうよ！　ありがたい食料部屋《しょくりょうべや》だ！　ここなら、ぼくと同じ仲間《なかま》が住んでるにちがいない！　どれどれ、付《つ》き合《あ》える相手がいるかどうか、ひとまわりしてみるとしよう。ぼくは誇《ほこ》り高《たか》いコガネムシだからな。それが自慢《じまん》なんだ」

というわけで、温室のなかをうろつきまわりながら、馬が死んで自分が金の蹄鉄《ていてつ》をもらったすてきな夢《ゆめ》のことを考えていました。

と、いきなり手につかまれ、ぎゅっと押《お》されたり、ひっくり返されたりしました。

庭師《にわし》の息子《むすこ》と、遊び友だちの女の子が温室にいて、コガネムシを見つけ、それでちょっと遊ぼうと思ったのです。まず、コガネムシはブドウの葉っぱにくるまれ、次に、暖《あたた》かいズボンのポケットに押《お》しこまれました。そこで、コガネムシは精《せい》いっぱいもがいたり引っかいたりしましたが、男の子の手でぎゅっと押《お》さえられてしまったので、おとなしくしているしかありませんでした。男の子は庭のはずれにある大きな池まで走っていくと、壊《こわ》れかけた古い木靴《きぐつ》にコガネムシを入れました。そのなかには、マストの代わりに小さな棒《ぼう》がつけられていて、コガネムシはそこに毛糸で縛《しば》りつけられました。さあ、コガネムシは水夫《すいふ》になって、舟《ふね》を動かさなければなりません。

池はまあまあ大きかったのですが、コガネムシには大海原《おおうなばら》に見えました。びっくり仰天《ぎょうてん》して仰向《あおむ》けになり、足をバタバタさせました。すると、小さな舟《ふね》は動き出し、水の流れに乗りました。ところが、舟《ふね》が岸から離《はな》れすぎると、男の子がズボンをまくり上げ、水のなかへ入ってきて、舟《ふね》を岸のほうへ連《つ》れ戻《もど》します。

けれど、ようやく舟《ふね》がまた勢《いきお》いよく走り出したとき、何か大切な用事で子どもたちを呼《よ》ぶ声がしたので、ふたりは小さな舟《ふね》を放りっぱなしにして、あわてて池から走っていってしまいました。小さな舟《ふね》は岸からどんどん遠くへ流され、はるばる広い海へ出ていきます。コガネムシはこわかったのですが、逃《に》げられません。マストに縛《しば》りつけられていましたからね。

そこへ、ハエが一匹《ぴき》やってきました。「いいお日和《ひより》で！」とハエが言いました。「ここで休んで、ひなたぼっこさせてくださいな。あなたもここにいて、さぞかし気持ちいいでしょうねえ」

「何わけのわからないことを言ってるんだ！　ぼくがしっかり縛《しば》られてるのが、見えないのか？」

「だけど、わたしは縛《しば》られてませんからね」ハエはそう言って、飛《と》んでいきました。

「ああ、やっと世間ってものがわかったよ」とコガネムシは言いました。「自分勝手なやつらばっかりだ。正直なのは、ぼくだけだよ。そもそも、ぼくは金の靴《くつ》をもらえなかったし、濡《ぬ》れたテーブルクロスの上に寝《ね》なくちゃならなかったし、すきま風の入るところに立たされて、あげくの果《は》てには、奥《おく》さんを押《お》しつけられちまった。それで、広い世界へ一歩踏《ふ》み出《だ》して、そこでみんながどれほど居心地《いごこち》よくしてるか、ぼくにとってはどうなのかを知りたいと思ったんだよ。なのに、人間の男の子がやってきて、ぼくをぎゅっと縛《しば》って、荒波《あらなみ》のなかに放りっぱなしにしたんだ。こうしてるあいだも、皇帝《こうてい》のお気に入りの馬は金の靴《くつ》をはいて歩きまわってる。もう腹《はら》が立つったら、ないね！　だけど、この世の中、同情《どうじょう》なんかあてにならないよな。ぼくの一生はすごく面《おも》白《しろ》いんだけど、だれにも知ってもらえなかったら、なんの意味がある？ まあ、世の中の人たちには、ぼくの話を知るだけの価値《かち》なんか、ないけどさ。そうじゃなかったら、皇帝《こうてい》の馬屋で、皇帝《こうてい》のお気に入りの馬が蹄鉄《ていてつ》を打ってもらったとき、この脚《あし》を伸《の》ばしたぼくにも金の靴《くつ》をくれたはずだからね。もしぼくが金の靴《くつ》をもらってたら、ぼくはあの馬屋の誉《ほま》れになってただろうになあ。いまじゃ、馬屋はぼくを失《うしな》い、世間もぼくを失《うしな》ってしまった。万事休《ばんじきゅう》すだな！」

けれど、まだ万事休《ばんじきゅう》すではありませんでした。娘《むすめ》たちが何人か乗っているボートが近づいてきたのです。

「ねえ見て、古い木靴《きぐつ》の舟《ふね》が流れているわよ」ひとりが言いました。

「小さな生き物が結《むす》びつけられているじゃないの！」もうひとりが言いました。

そのボートはコガネムシの小さな舟《ふね》のまぎわまで近づき、娘《むすめ》たちが木靴《きぐつ》を拾い上げました。そして、ひとりが小さなハサミをポケットから取り出して、コガネムシを傷《きず》つけないように毛糸を切り、岸に着くと、草のなかに置《お》いたのです。

「はっておお歩き、はっておお歩き。飛《と》んでおいき、飛《と》んでおいき。もしもできるなら」と娘《むすめ》は言いました。「自由って、すばらしいものよ」

コガネムシは飛《と》び立《た》ち、大きな建物《たてもの》の開いた窓《まど》のなかへ入っていきました。そして、疲《つか》れてぐったりしていたので、美しく柔《やわ》らかな長いたてがみの上に倒《たお》れるように下りたのでした。それは馬屋に立っていた皇帝《こうてい》の馬で、そこはコガネムシがその馬といっしょに住んでいたところだったのです。コガネムシはたてがみにしっかりとしがみつき、しばらくじっと静《しず》かにして元気を取《と》り戻《もど》しました。

「いま、ぼくは皇帝《こうてい》のお気に入りの馬に乗ってるんだなあ。皇帝《こうてい》みたいにさ。あれっ、ぼくは何を言おうとしてたんだっけ？　ああ、そうそう！　思い出したぞ。いい考えだし、絶対《ぜったい》に正しいよ、これは。どうして皇帝《こうてい》の馬が金の靴《くつ》をもらったのか？　あの鍛冶屋《かじや》は、ぼくにそう聞いたよな。ようやく、答えがはっきりしたんだ。この馬は、ぼくのおかげで金の靴《くつ》をもらったんだってね！」

いまや、コガネムシは上機嫌《じょうきげん》です。「旅に出ると、心が広くなるね」ですってよ。お日さまの光が馬屋に射《さ》しこんでコガネムシを照《て》らし、あらゆるものを明るく、楽しく見せてくれていました。

「よくよく考えてみりゃ、やっぱり、世間ってのはそう悪いもんじゃないよな」とコガネムシは言いました。「どんなふうに受け取るかが大事なんだ」

そう、この世はすばらしいものになりました。だって、皇帝《こうてい》のお気に入りの馬が金の靴《くつ》をもらったのは、コガネムシがその馬の乗り手になるように、とのことだったんですからね。

「さて、馬から下りて、ほかのコガネムシのところへ行って、ぼくが世間のみんなからどれほどのことをされたか、話してやろう。外国旅行でぼくが出くわした不愉快《ふゆかい》なことを、洗《あら》いざらい話してやるぞ。そして、みんなに教えてやるんだ。馬が金の靴《くつ》をすり減《へ》らしてしまうまでは、ぼくはもうこの家から離《はな》れないってね」

焼《や》きソーセージの串《くし》のスープ

一．串《くし》のスープ

「昨日《きのう》の晩餐会《ばんさんかい》はとってもすてきでしたのよ」と、一匹《ぴき》の老女《ろうじょ》ネズミが、出席《しゅっせき》しなかったネズミに話しました。

「わたしの席《せき》は老《ろう》ネズミ王から数えて二十一番めで、下《しも》座《ざ》のほうではありません。メニューをお聞きになりたい？　考《かんが》え抜《ぬ》かれたお献立《こんだて》でね――かびたパン、ベーコンの皮、獣脂《じゅうし》ろうそく、ソーセージです。そこでふりだしに戻《もど》って同じコースをもう一巡《じゅん》しましたので、二度お招《まね》きいただいた気がしました。みなさん、身内同士《どうし》のように仲《なか》よく楽しんでらしてね。ソーセージは二周《しゅう》めでき

れいになくなり、串《くし》だけになりました。

残《のこ》った木串《きぐし》が話題にのぼりますと、「焼《や》きソーセージの串《くし》でスープをとる」という言い回しがおのずと出てきました。みんな聞いたことはあるのに、味はおろか作り方さえだれも存《ぞん》じませんでしょ。そのスープを発明した者にみんなで乾杯《かんぱい》し、だれだか知らないがぜひ救貧院《きゅうひんいん》の切《き》り盛《も》りをお願《ねが》いしたいと言い合いましたの。ピリッと気が利《き》いてますわね？　すると老王《ろうおう》がお立ちになって、そのスープを作ってみせたネズミ娘《むすめ》をお妃《きさき》にしようと約束《やくそく》なさいました。ちゃんと作れるようになるまでの修業《しゅぎょう》期間を一年あげましょうって」

「悪くないお話ですね」話し相手のネズミが言いました。「で、作り方は？」

「そう、そこなの。どの女ネズミも知りたがったのは——若《わか》かろうが古かろうが、未婚《みこん》のネズミはみんな。そりゃあだれだってお妃《きさき》にはなりたいけど、だからって、えいやっと広い世界に出て行って、ひとりぼっちでスープ修業《しゅぎょう》というのもねえ。親兄弟と別《わか》れて、ぬくぬくした住みかを出るのは並大抵《なみたいてい》じゃないでしょ。それに外の世界に都合よくチーズの皮が転がっていたり、ベーコンの皮がぷんぷん匂《にお》ったりするもんですか。とーんでもない。食うや食わずは当たり前、悪くすれば生きたままネコに食われてしまうわ」

そんな事情《じじょう》も災《わざわ》いして、たいていの女ネズミはおじけづいてしまい、スープの秘伝《ひでん》探《さが》しに行かずじまいでした。いつでも旅に出ますと宣言《せんげん》したのはたったの四匹《ひき》です。四匹《ひき》とも若《わか》くて前向きですが、貧乏《びんぼう》でした。東西南北の地の果《は》てへそれぞれ一匹《ぴき》ずつ出向いて運を試《ため》すと決まり、四匹《ひき》ともソーセージの串《くし》を持ちました。これからの旅の目的《もくてき》を肝《きも》に銘《めい》じるためと、スープ行脚《あんぎゃ》の杖《つえ》がわりにするためです。

四匹《ひき》は五月一日に出発、ようやく戻《もど》ったのは一年後の五月でした。ただし戻《もど》ったのは三匹《びき》だけで、残《のこ》る一匹《ぴき》は連絡《れんらく》がとだえ、王さまの前で成果《せいか》を競《きそ》う日が巡《めぐ》ってきても生死がわかりませんでした。

「ま、どんな喜《よろこ》びごとにも何かしらケチはつくものだ」などと口では言いながらも、王さまは何マイルも何マイルも先までお触《ふ》れを出して、ご領内《りょうない》のネズミたちを残《のこ》らず呼《よ》び寄《よ》せました。

呼《よ》ばれたネズミたちは王宮の台所に大集合、旅帰りの三匹《びき》に向かい合う形でご対面しました。行方《ゆくえ》不明《ふめい》の一匹《ぴき》のかわりには、喪章《もしょう》つきの串《くし》が立ててあります。三匹《びき》の報《ほう》告《こく》をもとに王さまが結論《けつろん》を出すまで、他の者はよけいな口出しを控《ひか》えました。では、その報告《ほうこく》を聞かせてもらいましょうか。

二．第一の小ネズミの紀行文《きこうぶん》

第一の小ネズミが申します。「広い世界へ出た時は、この年頃《としごろ》にありがちな気負いから、なんでも知っていると思いこんでおりました。ところが実際《じっさい》は大違《おおちが》いで、わかるにはそれ相応《そうおう》の年季《ねんき》が要《い》ります。わたしが北行きの船でさっそく海へ出ましたのは、臨機応変《りんきおうへん》な船のコックさんならきっとあのスープをひねり出せるはずだと聞いたからです。ですが航海中《こうかい》はベーコンや、何樽《なんたる》もの塩漬《しおづ》け肉、かびっぽい小麦粉《こむぎこ》がいくらでもあり、普通《ふつう》のスープの材料《ざいりょう》には事欠《ことか》きません。ですから、ずいぶんいい暮《く》らしをさせてもらいましたが、串《くし》スープのとり方はわからずじまいでした。航海《こうかい》は何日も何夜も続《つづ》き、派手《はで》に揺《ゆ》れればひとたまりもなく水浸《みずびた》しです。やっと入港して船をおりてみましたら、そこははるかな北の国でした。

住《す》み慣《な》れた煙突《えんとつ》の隅《すみ》から船の隅《すみ》に移《うつ》って航海《こうかい》したあげく、数百マイル離《はな》れた外国にひょっこり出てきてしまうなど、酔狂《すいきょう》にもほどがあります。どちらを向いてもうっそうたるカバやトウヒの森が続《つづ》き、鼻にツンとくるのが本当にいやでした！　その地に自生する草木はどれもこれも匂《にお》いに癖《くせ》があり、くしゃみついでにソーセージのことを思い出しました。

　わたしは身内のネズミ族を頼《たよ》り、森の野ネズミや畑ネズミと仲《なか》よくやっておりましたが、そこの者たちはまるっきり物知らずで、料理《りょうり》のりの字も知らないのです。こっちはそのためにはるばる旅をしてきたというのに。ですからソーセージの串《くし》でスープをとるなどという考え自体がもう唖《あ》然茫然《ぜんぼうぜん》もので、たちまち、広い森の端《はし》から端《はし》までうわさになってしまいました。ところがそんな難問《なんもん》は絶対解《ぜったいと》けっこないと言われた直後に事態《じたい》がひっくり返りまして、夜明けまでにスープ作りを学べました。

　ちょうど夏至《げし》の日でした。地元のネズミたちに言わせれば、森の香《かお》りがこんなに強いのも、ハーブがこんなに薬くさいのも、湖水が澄《す》みきっていながら白鳥がくっきり目立つほど深い青に染《そ》まるのもそのせいだとか。森はずれの民家《みんか》三、四軒《けん》のまん中に、花輪《はなわ》やひらひらのリボンをいただきに飾《かざ》った、船のメインマストぐらい高い柱が立っていました。五月祭の柱《メイポール》です。若《わか》い男女がその柱を囲《かこ》んで陽気なヴァイオリンで踊《おど》り、ありったけの声で歌っていました。日が落ちて月が出てもそうやって楽しんでいましたが、わたしは参加《さんか》しませんでした。小ネズミが森の踊《おど》りなんかに出てどうします？　ですからソーセージの串《くし》を抱《だ》きしめて、柔《やわ》らかい苔《こけ》のクッションに腰《こし》をおろしておりました。明るい月が格別《かくべつ》に照《て》らす場所に木が一本だけあり、根元にこんもりと生えた苔《こけ》は失礼《しつれい》ながら王さまの毛皮のようにふかふかで、みずみずしい緑に目が洗《あら》われるようでした。

そこへせいぜいわたしの膝丈《ひざたけ》ほどの大きさの、とびきりきれいな小人《こびと》たちがひょっこりと何人か出てきました。人間そっくりですが、全身がもっと美しい者たちです。自分たちを妖精《ようせい》と呼《よ》び、花びらのすそにハエやアブの羽をあしらった薄《うす》い服を着ています。ぶかっこうなところはひとつもございません。何かを探《さが》しているらしく、初《はじ》めはよくわかりませんでしたが、そのうちに二人ほどがやってきて、妖精《ようせい》たちの長《おさ》がわたしの串《くし》を指さしました。

「ちょうど手ごろなのがあったぞ。先もとがっていて完璧《かんぺき》だ！」と、わたしの串《くし》を見れば見るほど顔をほころばせます。

「貸《か》すのはいいけど、あげるのはいやです」と、わたしは言ってやりました。

「ちゃんと返しますよ」と、わたしの串《くし》を受け取り、みんなで踊《おど》りながらあの苔《こけ》におおわれた木の根元へ行きました。自分たち用のメイポールがほしかったんですね。わたしの串《くし》がちょうど手ごろに見えたんでしょう。立てて飾《かざ》りつけたら、それはもう見ばえがしました！

まずは小グモたちが金の糸を巻《ま》きつけ、くらくらするほどまばゆい雪の白さになる

まで月光にさらした薄《うす》もののリボンや長い旗《はた》を波打たせて飾《かざ》り、串《くし》全体にチョウの羽の色《いろ》粉《こ》をふりかけてきらめく花やダイヤモンドを生みだしました。わたしでもあの串《くし》とはわからない変《か》わりようで、世にまたとないほど、きらびやかなメイポールに仕上がりました。
妖精《ようせい》たちは大勢《おおぜい》集まって大はしゃぎです。みんな裸同然《はだかどうぜん》なのに、これ以上《いじょう》ないほど立派《りっぱ》で上品でした。わたしも見物に誘《さそ》われましたが、あちらが小さすぎて足の踏《ふ》み場《ば》に困《こま》りましたので、やや離《はな》れた場所から見せてもらいました。
いざ音楽がはじまると、これがまた！　まるで何千ものガラスの鐘《かね》のように強く豊《ゆた》かな澄《す》んだ響《ひび》きは、おそらく白鳥の歌だったと思います。そうですね、たしかカッコウやクロウタドリまでいたような。やがて森中が歌に加《く》わりました。子どもの声に鐘《かね》の音《ね》や鳥の歌が混《ま》じって極上《ごくじょう》の調べを紡《つむ》いでいくのですが、その音色を生みだしたのは妖精《ようせい》たちのメイポールです。ありとあらゆる鐘《かね》の音《ね》を響《ひび》かせ——それでもわたしの串《くし》には違《ちが》いありません。びっくりしましたが、串《くし》は持つ人次第《しだい》で変《か》わるのですね。こんなにすばらしいものを内に秘《ひ》めていようとは。わたしは深く感動し、小ネズミなりにありったけの感涙《かんるい》にむせびました。

夜はあっけなく過《す》ぎてしまいましたが、こんな北では夏の夜が短いのです。夜明けのそよ風が鏡《かがみ》のような森の湖をさざなみ立たせ、美しい薄《うす》もののリボンや旗《はた》を吹《ふ》き飛《と》ばしてしまいました。ふっくらしたクモの巣製《すせい》の花輪《はなわ》や、葉っぱ同士《どうし》をつなぐ飾《かざ》り糸も、はかなく吹《ふ》き散《ち》らされてしまうと、妖精《ようせい》たちが六人がかりで串《くし》を返しに来て、自分たちにご恩返《おんがえ》しできることはないかとたずねました。それで、わたしは串《くし》でスープをとる術《じゅつ》を教えてほしいと頼《たの》みこみました。

妖精《ようせい》の長《おさ》はにこやかに、「術《じゅつ》ですか？　それなら、今しがたごらんになりましたよね。ご自分の串《くし》とは見てもわからないほどだったでしょう」

「ただのおせじだろうとお思いでしょうけど」と、わたしはそこであらためて、旅に出たいきさつや、どれだけ重いお役目を背負《せお》って故郷《こきょう》からここまで旅してきたかをすっかり打ち明けました。「これはこれで楽しい見せものでしたが、わがネズミ王の大国で何の役に立つでしょうか。この串《くし》の一振《ふ》りで、「串《くし》にご注目、スープを出しますよ」ではすみませんでしょ。目の楽しみの前に、まずはおなかがふくれませんと」

すると妖精《ようせい》は、青スミレの花の中心に小指をさしこんで言いました。「まあ見ていてくださいね、あなたの巡礼杖《じゅんれいつえ》にちょっと術《じゅつ》を塗《ぬ》りこんでみますよ。ネズミ王の王宮に帰りついたら、この枕《まくら》を王さまの暖《あたた》かい心臓《しんぞう》に向けなさい。すると、たちどころに真冬のさなかでもスミレがこの杖《つえ》にびっしりと咲《さ》き出します。お国への手土産《てみやげ》にはそれをお持ち帰りいただくとして、ほんのりと色をつけてあげましょう」

小ネズミはそっちの説明《せつめい》をすっ飛《と》ばして、あの串《くし》を王さまの心臓《しんぞう》に向けました。すると本当に、この上なく見事なスミレがびっしりと咲《さ》いて強い香《かお》りをこれでもかと放ちます。王さまはあわてて暖炉《だんろ》のすぐ脇《わき》にいたネズミに命じて、しっぽを焦《こ》がさせました。鼻がもげそうなスミレの香《かお》りをごまかすためなら、どんな悪臭《あくしゅう》でもいいというわけです。

「ほんのりと色をつけたと言うと？」王さまがたずねました。

「はい、そちらは」と、小ネズミ。「おそらく、五感の目くらましと呼《よ》ばれるものでしょう」と、串《くし》をぐるりと回すや、さあ、おたちあい！　たちまち花はかき消えて串《くし》だけが残《のこ》りました。それを指揮棒《しきぼう》そっくりに振《ふ》りかざし、「妖精《ようせい》の長《おさ》が言うには、「スミレは視覚《しかく》と嗅覚《きゆうかく》と触覚《しよつかく》に訴《うった》えるもの」だそうです。ですからまだ聴覚《ちようかく》と味覚《みかく》がありますね」

と、拍子《ひようし》を取って音楽にかかりました。森の妖精《ようせい》たちの音楽ではありません。そんな高尚《こうしよう》なものではなく、台所の音っぽいですね。ぶくぶく、ぐつぐつ、ことこと。いちどきに煙突《えんとつ》という煙突《えんとつ》でつむじ風が吹《ふ》き荒《あ》れる音がしたかと思うと、大小の鍋《なべ》がいっせいに吹《ふ》きこぼれたような音をたてます。炭用のスコップがひとしきり銅鍋《どうなべ》を乱打《らんだ》し、はたと静《しず》まり返《かえ》りました。今度はお茶のやかんが沸《わ》いて優《やさ》しい歌をささやく番ですが、あまりにかすかで、いつ始まっていつ終わったかもわかりません。小さい鍋《なべ》はふつふつ、大きい鍋《なべ》はぐつぐつ、どっちもどっちで鍋《なべ》に気配りがあってたまるかと言わんばかりの態度《たいど》です。小ネズミの串《くし》さばきはますます激《はげ》しく、鍋《なべ》たちはぐらぐら、ぶくぶくと吹《ふ》きこぼれます。風は煙突《えんとつ》の中で荒《あ》れ狂《くる》い、やがてボン！　とすごい音がはじけて、びっくりした小ネズミがついに串《くし》を取り落としました。

「ずいぶん荒《あら》っぽい煮詰《につ》め方《かた》だな」と、王さまはおっしゃいました。「こんなスープを出せるか？」

「はい。ぬかりなく、すべて入れてお作りしました」と、小ネズミはおじぎしました。

「ぬかりなく、だと?」王さまが言い返します。「ならば、次の者の言い分を聞いたほうがよいな!」

三 第二の小ネズミの紀事拾遺《きじしゅうい》*

第二のネズミが語りだしました。「わたしは王宮の図書室生まれです。わたしも家族も食糧置《しょくりょうお》き場《ば》はおろか、食堂《しょくどう》に出入りしたこともございません。台所だって旅の途中《とちゅう》と本日この場に足を踏《ふ》み入《い》れたぐらいです。図書室は餓死《がし》の危険《きけん》がつきものでしたが、かわりに知識《ちしき》だけはふんだんにありました。そんなわが家にも、ソーセージの串《くし》でスープをとれば王さまからごほうびをいただけるという話が遅《おそ》まきながら伝《つた》わってまいりました。するとさっそく、うちの祖母《そば》が一冊《さつ》の写本を曳《ひ》いてきまして。もちろん祖母《そば》には読めませんが、こんな一節《いっせつ》が読み上げられるのを聞いたことがありました。「いやしくも詩人であれば、ソーセージの串《くし》でスープをとれるはず」

祖母《そば》がわたしに、おまえは詩人かいとたずねます。そっち方面はさっぱりだと答えても、そんなら世間へ出ていって、なれるまで頑張《がんば》れと言《い》い張《は》ります。そっちは串《くし》スープのとり方と同じぐらいお手上げだったので、だったらどうすればいいのと祖母《そば》にたずねてみました。すると、祖母《そば》はためになる本の中身をさんざん聞きかじってきただけあって、こう教えてくれました。「かんじんかなめは三つ、理解力《りかいりょく》、想像力《そうぞうりょく》、感《かん》性《せい》——そうしたものを何とか自分の血肉にできれば、詩人になれる。そうなりゃ串《くし》の件《けん》なんてたちどころに解決《かいけつ》するよ」

それでわたしは広い世界へ出て、詩人になろうと西へ向かいました。

理解力《りかいりょく》を抜《ぬ》きにしては何ごとも始まりません。さきにあげた三つのうちふたつは理解力《りかいりょく》の半分も重んじられておりません。それで、さっそく理解力《りかいりょく》を探《さが》しに出かけました。そこまではいいとして、ありかはどこでしょう？「理解力《りかいりょく》を得《え》たくばアリを訪《たず》ねよ」とは、古代ユダヤの偉大《いだい》なソロモン王のお言葉だと図書室で聞いておりました。ですから大きなアリ塚《づか》を休みなく探《さが》し回《まわ》り、見つけた後はじっと見張《みは》って学ぼうとしたわけです。

アリというのは実に見上げた種族《しゅぞく》ですね。理解力《りかいりょく》が徹底《てってい》しています。何から何まで正しく計算していて、きちんと割《わ》り切《き》れる算数の問題を思わせます。働《はたら》いて卵《たまご》を産《う》む

*紀事拾遺《きじしゅうい》——文化人が目の前の事実に、さまざまな教養《きょうよう》やうんちくを盛《も》りこんだ随筆《ずいひつ》。

のは今を生きて未来《みらい》に備《そな》えるためだと言い、言うだけでなく実行しています。アリにはご清潔《せいけつ》なアリと汚《よご》れ仕事のアリの二種類《しゅるい》おり、身分に応《おう》じて番号を振《ふ》られます。一号は女王アリで、あらゆる知恵《ちえ》を持つ女王の考えは唯一《ゆいいつ》の正解《せいかい》とみなされます。ですから、女王から知恵《ちえ》を学ぶのが最大《さいだい》の課題《かだい》になりました。ただし女王の話しぶりは作《さく》為《い》を盛《も》りすぎて、逆《ぎゃく》にたわごとに聞こえてしまうのです。

　女王に言わせれば、自分のアリ塚《づか》はこの世でいちばん高いとか。でも、すぐそばにもっと高い木がありました。はるかに高いのは否定《ひてい》できませんのに、口に出すアリは皆無《かいむ》です。ある夕方、一匹《ぴき》のアリがその木で迷《まよ》って幹《みき》をのぼり、梢《こずえ》の先には届《とど》きませんでしたが、アリ塚《づか》のどんなアリも未経験《みけいけん》の高さに到達《とうたつ》したのです。それで戻《もど》ってきてから塚《つか》の外にもっとずっと高い場所があると話しましたところ、よってたかって他のアリたちからアリ社会の面汚《つらよご》し呼《よ》ばわりされたあげく、口輪《くちわ》をはめられて独房《どくぼう》で終身刑《しゅうしんけい》にされました。その後まもなく別《べつ》のアリがまた同じ木にのぼり、同じ道筋《みちすじ》をたどって同じ発見をしたわけです。ただし、こちらのアリはちゃんと用心して控《ひか》えめに話したとか。しかも上流階級のアリ——ご清潔《せいけつ》なアリの仲間《なかま》でした。そんなアリの意見ですから信用《しんよう》され、亡《な》くなると科学業績《ぎょうせき》を顕彰《けんしょう》する立派《りっぱ》な記念碑《きねんひ》を卵《たまご》の殻《から》で立ててもらったそうです」

小ネズミの話はなおも続《つづ》きます。「卵《たまご》をずうっと背負《せお》って走るアリたちを見たことがあります。一匹《ぴき》が卵《たまご》を落とし、また拾おうとするのですが、なかなかうまくいきません。仲間《なかま》のアリ二匹《ひき》が近づき、精一杯《せいいっぱい》助けようとしたはずみに危《あや》うく自分たちの卵《たまご》を落としそうになり、すぐさま手を引きました。まずはわが身が最優先《さいゆうせん》ですからね。女王アリによれば、理解力《りかいりょく》と情《なさ》け深《ぶか》さを両立させたアリの好例《こうれい》だそうです。

「この二つの美点のおかげで、アリは理性《りせい》ある生き物の最上位《さいじょうい》にいるのです。理解力《りかいりょく》はつねに最優先《さいゆうせん》ですし、そうあるべきで、わたしは他のだれよりも理解力《りかいりょく》を持ち合わせています」女王はここまで言うと、ひときわ目立つように後肢《あとあし》で立ってみせました。わたしにもはっきり女王の見極《みきわ》めがつきましたので、ぱくっと食べてしまいました。「理解力《りかいりょく》を得《え》たくばアリを訪《たず》ねよ」の言葉通りに——女王のすべてを自分の血肉にしたというわけです。

で、さっき出てきた高い木に近づきました。オークの木で、太い幹《みき》からゆうゆうと枝葉《えだは》を広げた大変《たいへん》な古木です。そんな木には生きた精霊《せいれい》がいるはずです。ドリュアスと呼《よ》ばれる女の精《ニンフ》で、木の発芽《はつが》とともに生を受け、木が死ねば自分も死ぬのだとか。以前《いぜん》に図書室で聞きかじったことのある木の精《せい》を、こうして実物の木とともに見ることになろうとは。ドリュアスのほうでは、近づきすぎたわたしに驚《おどろ》いて悲鳴をあげました。この精《ニンフ》も人間の女なみにネズミを死ぬほど怖《こわ》がりまして。ただし、わたしを怖《こわ》がる理由がもうひとつ余分《よぶん》にございました。彼女《かのじょ》の命のみなもとの木を、幹《みき》からかじって倒《たお》してしまいかねない生き物ですからね、わたしは。それで明るく人なつこい口調でこちらから話しかけ、怖《こわ》がらなくてもいいのよと言ってやりました。

木の精《せい》はきゃしゃな手でわたしをすくい上げ、この広い世界に出てきたいきさつを聞くと、こう請《う》け合《あ》ってくれました。あなたがまだ探《さが》している美点ふたつのうち、片《かた》方《ほう》は今晩中《こんばんじゅう》にちゃんと手に入るよう計らってあげる。わたし、夢の神《パンタソス》とはとても仲《なか》よしなの。愛《あい》の神に負けない美貌《びぼう》でね、よく茂《しげ》ったこの木の天蓋《てんがい》の下で何時間も寝《ね》ていくのだけど、そんなふたりの上で枝葉《えだは》はいつにもまして優《やさ》しくささやくのよ。わたしもこの木も、夢の神《パンタソス》に「ぼくの木の精《せい》」「ぼくの木」と呼《よ》ばれているの。この節《ふし》くれだった大木の寝《ね》心地《ごこち》がとてもいいから。木のたたずまいが気に入っているのね、地中深くしっかりと根を張《は》り、澄《す》んだ青空に高くそびえたつ幹《みき》はあるがままに厳《きび》しい風雪に耐《た》え、あるがままに陽《ひ》のぬくもりを浴《あ》びて過《す》ごしているから。

「ええ、そうよ」木の精《せい》は続《つづ》けて、「鳥たちは上の梢《こずえ》で歌い、いろんな外国のお話をしてくれる！　一本だけあった枯《か》れ枝《えだ》にはコウノトリが巣《す》をかけてね、とても見ばえがするし、ピラミッドの国の話も聞かせてもらったわ。夢《ゆめ》の神はそのすべてが大好《だいす》きなんだけど、それでもまだ物足りないんですって。だから、わたしがイラクサに隠《かく》れてしまうほど小さな苗木《なえぎ》だったころから、堂々《どうどう》たる大木になった今までの森の話を聞きたがって仕方がないの。あなたはそこのタイムの茂《しげ》みの陰《かげ》からじっと見ていてね。夢の神《パンタソス》がいらしたら、あの方の翼《つばさ》から小さな羽を一本だけ抜《ぬ》いてあげるから、もらっていって。どんな詩人が望《のぞ》んでも手に入らないものだし、それだけで十分よ」

夢の神《パンタソス》がいらっしゃると、抜《ぬ》いた羽をわたしがいただきました。その羽を柔《やわ》らかくしようと水に浸《つ》けましたが、まだまだ硬《かた》くて、飲みこむのは大変《たいへん》でした。それでも気長にかじってとうとう飲みこんでしまいました。詩人になるのも楽じゃありませんね、詰《つ》めこまなきゃならないものがあんなにあったら。

さて、こうして理解力《りかいりょく》と想像力《そうぞうりょく》のふたつを身につけますと、その力で第三の美徳《びとく》のありかは図書室のはずだとわかりました。さる偉人《いじん》が生前に語った言葉にこういうのがあります。「世間には過剰《かじょう》な涙《なみだ》の放出だけを目的《もくてき》に書かれた小説《しょうせつ》があり、そうした小説《しょうせつ》は人間の感情《かんじょう》を吸《す》い取《と》る海綿《かいめん》のようなものだ」言われてみれば、図書室の古書にそういったお話が何冊《なんさつ》かありましてね、いつ見てもとびきり美味《おい》しそうでした。すりきれるまで読み古されたおかげで、手の脂《あぶら》をたっぷり吸《す》いこんでいて。きっと、さぞかしおびただしい量《りょう》の涙《なみだ》も吸《す》ったんじゃないでしょうか。

図書室に戻《もど》り、小説《しょうせつ》をさっそく丸ごと一冊平《さつ》らげました――つまり、お話のさわりの柔《やわ》らかいところを。ですが外皮――つまり表紙は残《のこ》しました。その本のこなれ具合を見計らってもう一冊《さつ》かじりましたら、体内に何やらはたはたと羽ばたくものがありました。まだ三分の一しかかじっていないのに詩人になったのですね、詩人だと大っぴらに言える程度《ていど》には。そのせいで頭痛《ずつう》と胃痛《いつう》持ちになり――他にも全身があちこち痛《いた》みましたが、そっちはいちいち覚《おぼ》えていられません。

ここでわたしは頭の中をさらって、串《くし》に結《むす》びつくお話を思い出そうとしました。たくさんの串《くし》が頭に浮《う》かび――あのアリの女王の理解力《りかいりょく》はきっと圧倒的《あっとうてき》だったんですね。口にくわえた白い串《くし》を抜《ぬ》いたら串《くし》もろとも姿《すがた》が消えた男の話がありました。古いビールに串《くし》をつっこんだ話、串《くし》でできた脚《あし》、「四角い穴《あな》に丸串《まるぐし》を打つ」や「人の柩《ひつぎ》に串《くし》を刺《さ》す」なんて言葉もありましたよ。頭の中はひたすら串《くし》だらけです。わたしのように――詩人になれば。だって、そうな

るまでにあれだけ頑張《がんば》ったんですよ──世の中のすべてが詩になります。ですから日《ひ》替《が》わりで串《くし》とお話に変化《へんか》をつけて陛下《へいか》をおもてなしできます──ええ、わたしのスープはそういうものです」

「では、第三の者の話を聞かせてもらおう」王さまは命じました。

「チュウ、チュウ、待って！」台所口でそんな声がして、死んだと思われていた第四の小ネズミが矢のように駆《か》けこんでくると、喪章《もしょう》の串《くし》をばたんと倒《たお》してしまいました。夜も昼も駆《か》け通し、すきを見て貨物《かもつ》列車に便乗《びんじょう》して帰ってきたのですが、それでも間に合うかどうかは微妙《びみょう》なところでした。みんなをかきわけて進むおかげで毛皮は前よりよれよれになり、串《くし》もなくしてしまいましたが、舌《した》はどうやら無事《ぶじ》のようです。いきなり出てきて皆《みな》さんお待ちかねでした、お目当てはわたしだけよね、他のことはどうでもいいでしょと言わんばかりにさっそく話を引き取り、前置《まえお》きなしにとうとうとしゃべります。それでもなにしろ、いきなりの登場にみんなびっくりして、しゃしゃり出るのを制止《せいし》するとか、話に待ったをかけるひまもなかったのです。では、その話を聞いてみることにしましょう。

四 ぬけがけで割《わ》りこんだ第四のネズミの見聞録《けんぶんろく》＊

第四の小ネズミはこう話しました。「わたしはその足で、いちばん大きな町へ行きました。町の名は記憶《きおく》にございません。名前を覚《おぼ》えるのはどうも苦手で。差《さ》し押《お》さえの荷と同じ便《びん》で鉄道から裁判所《さいばんしょ》へ運びこまれ、そこから看守詰所《かんしゅつめしょ》に逃《に》げました。看守《かんしゅ》は収監《しゅうかん》中の囚人《しゅうじん》たちの話をしており、中のひとりについては特《とく》に、語りだしたら止まらなくなったみたいです。まあ次から次へと言いだしまして。中身はとうに記録《きろく》ずみの話の受け売りだったのですけどね。

「そもそもの一件《けん》からして、一から十まで〝串《くし》でとったスープ〟だよな」と、看守《かんしゅ》は言いました。「なのに、あいつはそんなスープのせいで首を取られそうなんだ」

「がぜん聞き耳を立てまして」小ネズミは話を続《つづ》けました。「すきを見て独房《どくぼう》にちょろりと入りこみました。鍵《かぎ》がかかっていても、ネズミ穴《あな》は必《かなら》ずありますから。すると顔色の悪い男がいました。ひげ面《づら》にきらめく大きな目が目立ちます。独房《どくぼう》のランプの煙《けむり》はあるものの、まっ黒にすすけた壁《かべ》では今さらどうってことありません。黒い壁《かべ》に囚人《しゅうじん》が刻《きざ》んだスケッチや詩だけが白い地肌《じはだ》をのぞかせていました。わたしは読みませんでしたけど、よほど手持《ても》ち無沙汰《ぶさた》だったんでしょうね。おかげで大歓迎《だいかんげい》され、パンくずや口笛や優《やさ》しい声で釣《つ》って呼《よ》び寄《よ》せてもらいました。あんなに喜《よろこ》ばれると、こちらも手放しでなついてすぐ仲《なか》よくなりました。パンや水をごいっしょし、チーズやソーセージも分けてくれるものですから、食うには困《こま》りません。ですがくれぐれも申し上げておきますが、わたしが惹《ひ》かれたのはおもにその人柄《ひとがら》です。たとえば手から袖《そで》口《ぐち》にもぐりこんで腕《うで》を走り回ろうが、ひげに入りこもうが怒《おこ》りません。小さいお友だちと呼《よ》ばれるうちにいつしか心を通わせ、その人に夢中《むちゆう》になりました。広い世界へ出てきた目的《もくてき》も、自分の串《くし》もほったらかしです。串《くし》のほうは、あの独房《どくぼう》の床《ゆか》のすきまに今もあるでしょうね。ずっと寄《よ》り添《そ》って暮《く》らすつもりでした。だって、わたしがいなくなればその人は独房《どくぼう》でひとりぼっち、この世に友だちがひとりもいなくなります。それはあんまりなので居残《いのこ》りを決めました。なのに、あちらのほうがいなくなってしまって。別《わか》れ際《ぎわ》に悲しみをたたえた声で話しかけ、いつもの倍もパンとチーズをくれると、さよならの投げキスをして出て行きました。それっきり、後はどうなったかわかりません。

ソーセージの串《くし》でとったスープの言い出しっぺは看守《かんしゆ》でしたから、行ってみました。

＊見聞録《けんぶんろく》——異文化体験《いぶんかたいけん》を書きとめた記録《きろく》

ですが、信用《しんよう》してはいけない人でした。すぐさまわたしをすくい上げ、踏《ふ》み車《ぐるま》のかごに放りこんだのです。ひどいいじめですね、いくら走っても先へは進めず、人の笑《わら》いものになるばかりで。

看守《かんしゅ》には幼《おさな》い孫娘《まごむすめ》がおり、まだあどけなくてかわいい子でした。輝《かがや》く金の巻《ま》き毛《げ》に、きらめく目と笑《え》みの絶《た》えない口もとをしていて。

「ネズミちゃん、かわいそう」と、おぞましいかごをのぞきこんで鉄のかんぬきを抜《ぬ》いてくれました。わたしはひと跳《と》びで窓敷居《まどしきい》にたどりつき、そこから屋根の雨どいに出ました。やった、逃《に》げ出《だ》せた！　頭にはそれしかなく、旅の目的《もくてき》などきれいに吹《ふ》き飛《と》んでいました。

あらかた暮《く》れて夜も間近になってから、とある古い塔《とう》を宿に決めましたら、塔《とう》の番人とフクロウがお先に住みついておりました。どちらも信用《しんよう》できませんが、特《とく》にフクロウはいやでした。ネコ同様にネズミの天敵《てんてき》ですもの。ところが思いこみはよくないですね、さしずめこの時のわたしがそうで、このフクロウおばばはすこぶる信用《しんよう》できる物知りでございました。番人より物知りで、わたしと対等に話ができます。くちばしの黄色いフクロウともが何かにつけて話を大げさにしますと、いつもおばばにたしなめられました。「ソーセージの串《くし》でスープをとろうとしなさんな」とね。もとが根っから優《やさ》しいおばあちゃんですから、身内へのお叱《しか》りもせいぜいその程度《ていど》です。

このおばばには裏表《うらおもて》がないなと見極《みきわ》めがついたので、わたしは隠《かく》れていた壁《かべ》の割《わ》れ目《め》から、「チュウ！」と声をかけてみました。おばばは頼《たよ》られたのがうれしかったらしく、悪いようにはしないから、あたしに任《まか》せておきと胸《むね》を叩《たた》いてくれました。どんな生き物にも手出しはさせない。冬になってあたしの食べるものが底《そこ》をつくまでは、手つかずであんたをとっといてあげよう、と。

おばばはなんでもよく知っていました。番人は脇《わき》にぶらさげた角笛のおかげでなんとかホーホー鳴いてんのさと教えてくれ、「あの角笛をやたらひけらかしてさ」と決めつけて、「この塔《とう》のフクロウのつもりでいるんだよ。音はでかいが中身はない――一事が万事《ばんじ》、ソーセージの串《くし》でとったスープさね！」

そのスープの作り方を教えてくださいとおばばに頼《たの》みますと、こう説明《せつめい》してくれました。「ソーセージの串《くし》でとったスープってのはね、ただの人間の言いぐさだよ。意味はいろいろで、これぞというのは人にもよるけど、ほんとの意味は「なし」ってことった」

「なし、ですって？」わたしは悲鳴をあげてしまいました。ショックですよ！　真実が耳に快《こころよ》いとは限《かぎ》りませんが、「真理はすべてにまさる」ですからね。おばばもそう申しておりました。そこに思《おも》い至《いた》れば、やることはひとつです。「すべてにまさるものを持ち帰れば、ソーセージの串《くし》でとったスープより、はるかにためになるでしょう。ですから間に合うように大急ぎで、真理という何にもまさる最上《さいじょう》のものを持ち帰った次第《しだい》です。われわれネズミは民度《みんど》が高く、その王ともなれば全国民《ぜんこくみん》の民度《みんど》を底上《そこあ》げなさるお方。そんな王さまなら、真理を持ち帰ったわたしをめでて、お妃《きさき》になさるだけの器量《きりょう》をお持ちでいらっしゃるかと」

「あなたの真理はいんちきね！」と、まだ話をさせてもらってないネズミがビシッと言いました。「そのスープならわたしがお作りできるし、そうするつもりよ」

五．正しいスープの作り方

最後のネズミは話しました。「わたしは旅に行かずに国におりました。そのほうが正しいので。なにもわざわざ旅に出なくても、なんでも手に入りますから、それは国にいますよ。この世ならぬ妖《あやかし》から教えを乞《こ》うたりもせず、なにかを鵜呑《うの》みにしたり、フクロウの言うことを真に受けたりもしておりません。ひとりで思《おも》い巡《めぐ》らして答えを

悟《さと》ったまでです。さて、よろしければ、たっぷりの水を張《は》ったお鍋《なべ》を火にかけてくださいませ！　さあ、火を強火にかきたて、お鍋《なべ》が噴《ふ》きこぼれるまでどんどんお湯を沸《わ》かしましょう。そこで串《くし》を入れて！　さて王さま、お手数ですが、この煮《に》えたぎるお湯をご自分のしっぽでかき混《ま》ぜてくださいますか。長く混《ま》ぜれば混《ま》ぜるほど、スープはこってりいたします。お金はかかりません――他には何も使いませんので。混《ま》ぜてくださいませ」

「他の者ではだめかな？」ネズミの王さまはたずねました。

「だめですね。王さまのしっぽ

でないと、ちゃんと仕上がりません」

王さまはふつふつと煮《に》えたぎるお鍋《なべ》のすぐそばに立ちました。ひとつ間違《まちが》えば危険《きけん》です。そうして搾乳場《さくにゆうじよう》のお鍋《なべ》からクリームの上皮をすくってなめるネズミみたいに、ご自分のしっぽを垂《た》らしました。ところが湯気が触《ふ》れたか触《ふ》れないかで、しっぽをひっこめて飛《と》びのいてしまわれました。

「当然《とうぜん》ながら妃《きさき》はそなただ」と、宣言《せんげん》なさいます。「あのスープはわれわれの金婚式《きんこんしき》まで待てばよかろう。そうすれば、わが国の貧民《ひんみん》どもにも待つ楽しみが――気長な楽しみが――できようというものだ」

そこでご成婚《せいこん》とあいなりましたが、帰宅《きたく》後のネズミたちからはこんな意見も出ました。あんなのをソーセージの串《くし》でとったスープと呼《よ》んでいいのか。それを言うなら、ネズミのしっぽでとったスープだろ。あの時だって、なるほど見ごたえはあったが、ひとつ間違《まちが》えば大変《たいへん》なことになってたじゃないか。

「自分ならあの時こう言ったのに、ああ言ったのに、はたまたそう言ったのに」

批評家《ひひようか》きどりの連中《れんちゆう》とはそんなものですね。後から言うのはかんたんです。ただ、このお話は世間に広まっていろいろ言われはしましたが、お話自体はちっとも変《か》わっていません。ですから、なにもソーセージの串《くし》でとったスープに限《かぎ》った話ではありませんが、これだけは覚《おぼ》えておきましょう。自分の意見が大なり小なり、つねにその通りになるとは思わないことです。

妖《よう》精《せい》の丘《おか》

トカゲが何匹《なんびき》か、古木の割《わ》れ目《め》をちょろちょろしていました。トカゲ語を使うので、おたがいの話はよくわかります。

「妖精《ようせい》の丘《おか》じゃあ、えらい騒《さわ》ぎだな」トカゲの一匹《びき》がぼやきました。「ここ二晩《ふたばん》ほどはうるさくて寝《ね》られやしない。ずうっと起きっぱなしでさ、歯痛《はいた》になったっておかしくないよ」

「あるらしいね、何やかんやと」別《べつ》のトカゲが言いました。「赤い四本の柱で丘《おか》のてっぺんを支《ささ》えて、けさの一番鶏《いちばんどり》が鳴くまですっきりさっぱりと空気を入《い》れ替《か》えていたし、妖精《ようせい》の娘《むすめ》たちは新しいダンスのおけいこ中だ、何かあるぞ」

「知り合いのミミズとその話をしてたんだけど」三匹《びき》めが言います。「ミミズ君は夜も昼もほじくり返した妖精《ようせい》の丘《おか》から出てきたばかりでね。いろんな話を聞いたらしいんだが、気《き》の毒《どく》に目がないから見えないんだ、土にもぐるほうは大の得意《とくい》だけど。な

Arthur Rackham

んでも妖精仲間《ようせいなかま》がお客にくるらしいよ、しかもずいぶんな偉《えら》いさんが。名前は聞き出せなかった。ミミズ君の口がよっぽど固《かた》いか、さもなきゃほんとに知らなかったのかな。鬼火《おにび》はひとつ残らず、たいまつ踊《おど》りってのに駆《か》り出《だ》されるし、あの丘《おか》にどっさりある金銀は全部ぴかぴかに磨《みが》いて、丘《おか》の外に並《なら》べて月光干《ぼ》ししてるんだって」

「だれだよ、そのお客って？」トカゲたちはくちぐちに言いました。「何がどうなってんだ？　まったく、蜂《はち》の巣《す》をつついたような騒《さわ》ぎだな！」

ちょうどそこへ丘《おか》がぱっくり開き、妖精《ようせい》らしく背中《せなか》が空洞《くうどう》になった年かさの娘《むすめ》が、中からちょこまかと出てきました。長生きの妖精《ようせい》王の家政《かせい》一切《いっさい》をあずかる遠縁《とおえん》の親戚《しんせき》なので、おでこのまん中にハート形の琥珀飾《こはくかざ》りをつけています。とんでもない速足でトトトトッと大胆《だいたん》に斜面《しゃめん》をくだり、まっしぐらにヨタカのいる海に近づきました。

「妖精《ようせい》の丘《おか》に今夜お招《まね》きしますのでいらしてね。ただし、おいやでなければご招待《しょうたい》のお使いを肩代《かたが》わりしてくださらない？　うまくできるでしょ、だって、わたしみたいにおもてなしの準備《じゅんび》を見てなくてもいいんだから。これからたいへんな大物のお客さまがたがおいでになるのよ。魔力《まりょく》には定評《ていひょう》あるかたがただから、お年寄《としよ》りの妖精《ようせい》王もせいぜい、いいところを見せたいのね」

「招《まね》く予定の顔ぶれは？」とヨタカはたずねました。

妖精の丘

「大舞踏会《ぶとうかい》にはだれでも来ていいわ。なんなら人間でもいいわよ、寝《ね》ながらしゃべるとかして、わたしたち妖精《ようせい》に合わせられるんなら。でも、宴会《えんかい》の人選《じんせん》は慎重《しんちょう》にしないとね、偉《えら》いさん限定《げんてい》だから。その件《けん》ではわたしもずいぶん王さまとやりあったけど、幽霊《ゆうれい》は宴《うたげ》から外すことになりそうって言われた。人魚の父娘《おやこ》はまっさきにお招《まね》きしなくちゃ。乾《かわ》いた陸地《りくち》に長居《ながい》するのはおいやかも知れないけど、濡《ぬ》れた石とか、それよりもっとマシなものがありそうなら座席《ざせき》用に手配しましょう。だから今回は断《ことわ》られないでしょうよ。しっぽを持つ古妖《こよう》のかしらたちや黒妖魔《ようま》や夢魔《むま》もれなくお招《まね》きしないと。それに黙示録《もくしろく》の蒼《あお》ざめた馬や死人豚《しびとぶた》も外せないし、なんならいっそ教会の小人《こびと》たちも入れてあげようか。あいつらはもれなく牧師《ぼくし》の手下だから妖精《ようせい》の仲間内《なかまうち》では信用《しんよう》されてないけど、そういう仕事なんだし、うちとは近い身内で付《つ》き合《あ》いも多いからね」

「ガア」とヨタカは返事すると、招待状《しょうたいじょう》を持って出かけました。

妖精《ようせい》の丘《おか》では娘《むすめ》たちがとうに踊《おど》り始《はじ》めています。踊《おど》り手たちのショールは霧《きり》と月光を交《ま》ぜ織《お》りしたみごとな品で、ショール好《ず》きにはこたえられません。丘《おか》の下の大広間はきらびやかに飾《かざ》られ、月光で洗《あら》い流《なが》した床《ゆか》も、魔法《まほう》の軟膏《なんこう》で磨《みが》きたてた壁板《かべいた》も、炎《ほのお》に照らされたチューリップの葉のようにつややかです。厨房《ちゅうぼう》では串刺《くしざ》しガエルがローストされてじゅうじゅういい、子どもの指をカタツムリの皮に巻《ま》いたおつまみ、ハツカネズミの鼻面《はなづら》と骨髄《こつずい》を毒《どく》ニンジンに混《ま》ぜこんでキノコの胞子《ほうし》をかけたサラダなどの仕込《しこ》みにかかっています。お飲み物は沼女謹製《ぬまおんなきんせい》の沼《ぬま》ビールに、地下墓所熟成《ぼしょじゅくせい》の硝酸《しょうさん》スパークリングワインです。どれも食べごたえ飲みごたえ満点《まんてん》のごちそうでした。デザートには錆《さ》び釘《くぎ》と教会の窓《まど》ガラスの甘味《かんみ》仕立てで、老《お》いた妖精《ようせい》王の金の宝冠《ほうかん》は砕《くだ》いた石筆で磨《みが》かれました。この石筆はいくら使っても元通りになるというもので、そんじょそこらの妖精《ようせい》王には手に入らない希少《きしょう》品です。お客さまがたを泊《と》める部屋にはカタツムリのぬるぬるで糊《のり》をきかせたカーテンをかけ、まさに蜂《はち》の巣《す》をつついたような大《おお》騒《さわ》ぎでした。

「さてと。馬の毛と豚《ぶた》の剛毛《ごうもう》を燃《も》やして、この丘《おか》を燻蒸消毒《くんじょうしょうどく》しなくちゃね。それで、こちらはひとまず片《かた》づいたんじゃないかな」と遠縁《とおえん》の娘《むすめ》は言いました。

「ねえ、お父さま」これは妖精《ようせい》王の末娘《すえむすめ》です。「今回の貴賓《きひん》ってどなたなの、教えてもらっていい？」

「では、そろそろ明かさねばならんかの」王さまが答えました。「おまえたちの中からふたりは確実《かくじつ》に嫁《よめ》に出すから、そのつもりでな。今度の客人というのはな、ノルウエーの小人《こびと》の長老《ちょうろう》なんだ。太古からのドヴレ山地のぬしで、岩山の城《しろ》が多数あるほかに金鉱《きんこう》を持っとる。さらにありがたいのは、嫁探《よめさが》し中の息子《むすこ》がふたりもおるらしい。

このじいさんは本当にできたやつでのう、いかにもノルウェーの白ひげらしい陽気でまっすぐなやつだよ。わしとは前からの付《つ》き合《あ》いで、たびたび酒盛《さかも》りをして気心が知れた仲《なか》じゃ。こちらへは嫁《よめ》を探《さが》しに来たこともあったが、その時の嫁《よめ》ももう死んでしもうた。メン島の白亜《はくあ》丘陵《きゆうりよう》をおさめる王の姫《ひめ》だったな。これがほんとのまっさらな嫁取《よめと》りというやつじゃ、白亜《はくあ》だけに。またあいつの顔を見られるとはなあ。なんでも、息子《むすこ》らというのはがさつで我《が》が強いそうだが、また聞きの話はあてにならんし、もそっと年を食えば少しは角も取れるじゃろ。さてさて、うちの娘《むすめ》らが野育ちどもをしつけるお手並《てな》みを拝見《はいけん》といこうか」

「それでご到着《とうちやく》はいつ？」末娘《すえむすめ》がたずねました。

「風向きと空模様《そらもよう》しだいかの。しまり屋なんでな、船がある時に便乗《びんじよう》するそうだ。なら、いったんスウェーデンまでくだれと言ってやったのに、あのじじいが耳を貸《か》さん。時代遅《おく》れなんじゃよ、まったくしょうもないのう」

そこへ鬼火《おにび》ふたつがご注進に飛《と》びこみ、早く入ったほうが当然《とうぜん》ながら一番乗りしました。「おいでになりました、ご到着《とうちやく》です！」

「冠《かんむり》をよこせ」妖精《ようせい》王が命じます。「そして、おもてで月光のよく当たる場所に立たせてくれ」

王の娘《むすめ》らがショールをかき寄《よ》せてひれ伏《ふ》すと、ドヴレ山地のぬしが万年氷と磨《みが》いたモミぼっくりでできた冠《かんむり》をかぶって姿《すがた》をあらわしました。熊皮《くまがわ》をはおり、特大《とくだい》のブーツがいかにも暖《あたた》かそうです。いっぽう、息子《むすこ》たちは自分たちの強さを見せつけるように、むきだしの喉《のど》をさらして防具《ぼうぐ》もつけていません。

「あれでも丘《おか》か？」下の息子《むすこ》が妖精《ようせい》の丘《おか》を指さして、「ノルウェーだったら穴呼《あなよ》ばわりだぞ」

「ひよっこども」老父《ろうふ》がたしなめます。「穴《あな》はくぼみ、丘《おか》はでっぱりだ。おまえらの頭には目がついとらんのか？」

それを言ったら、こいつらにちゃんと言葉がわかるのかよと息子《むすこ》たちは口答えしました。

「言葉に気をつけろよ」老人《ろうじん》が釘《くぎ》を刺《さ》します。「さもなきゃ、ここの衆《しゅう》にひよっこ扱《あつか》いされても知らんぞ」

やがて妖精《ようせい》の丘《おか》に入り、厳選《げんせん》されたお歴々《れきれき》との顔合わせを一瞬《いっしゅん》で終えました。さーっと風に吹き払《はら》われたような雑《ざつ》な扱《あつか》いでしたが、おもてなしには打《う》って変《か》わって念《ねん》を入れ、客それぞれが最高《さいこう》に気持ちよく過《す》ごせるように工夫《くふう》が凝《こ》らされました。海妖《かいよう》たちは水を張《は》った巨大《きょだい》なおけに浸《つ》かって食卓《しょくたく》についたおかげで、わが家同然《どうぜん》にくつろげると話していました。みんなが行儀《ぎょうぎ》よくしている中で、あのノルウェーの若《わか》い兄弟だけが別《べつ》にいいだろうといわんばかりに両足を卓上《たくじょう》に投げ出していました。

「テーブルクロスから足をどけんか！」と老父《ろうふ》に一喝《いっかつ》され、しばらく経《た》ってしぶしぶ言う通りにしました。お次はポケットに仕込《しこ》んできたモミぼっくりを使って、つんつん、こちょこちょと相客のご婦人《ふじん》がたにちょっかいをかけます。あげくにブーツのままじゃ落ち着かないといって勝手に脱《ぬ》いでしまい、くすぐったご婦人《ふじん》がたにあずけようとする始末《しまつ》です。そこへいくと、同じ父子でも長老《ちょうろう》はさすがに違《ちが》いました。人をそらさぬ話しぶりでノルウェーの雄大《ゆうだい》な岩山を描《えが》き出《だ》し、岩壁《がんぺき》をなだれ落ちる滝《たき》は雷《かみなり》かパイプオルガンそっくりにとどろいて、白いしぶきを四方八方に散《ち》らすのだとか、とにかく聞いていてあきないのです。ほかにも川の神が黄金のハープを奏《かな》でて急流をさかのぼる鮭《さけ》をはげます話とか、明るい冬の夜、ソリの鈴《すず》を合図に燃《も》えるたいまつをかかげた若者《わかもの》たちがなめらかな凍氷《とうひょう》の上を走っていくと、すぐ足もとの澄《す》んだ氷の下では、めまぐるしく泳ぐ魚が見えるという話もありました。なにしろ語り口がめっぽうわかりやすく、聞けばまざまざと目に浮《う》かびます。製材《せいざい》所の水車の動きや、作男と娘《むすめ》らが歌いながら足拍子《あしびょうし》をとって踊《おど》る話に聞き入るうちに――長老《ちょうろう》がいきなり妖《よう》

精《せい》王の遠縁《とおえん》の娘《むすめ》にキスしました。おたがいほぼ初対面《しょたいめん》の間柄《あいだがら》にしては、ずいぶん濃厚《のうこう》なキスです。

やがて、いよいよ王の娘《むすめ》たちが踊《おど》る番になりました。まずはいつもの踊《おど》りのあとで足拍子《あしびょうし》に入り、そろってみごとな足さばきを見せました。お次は凝《こ》った振付《ふりつけ》でひとりずつの見せ場です。うわあ、脚《あし》ってあんなに上がるんですね！　かんなくずよりも軽々といっせいに跳《と》ぶものだから、どこが踊《おど》りの先頭やら終わりやら、はたまたどこが脚《あし》やら腕《うで》やら入《い》り乱《みだ》れてよくわかりません！　かと思うと、やたらくるくる回るせいで、蒼《あお》ざめた馬や死《し》人豚《ひとぶた》などはめまいと吐《は》き気《け》で中座《ちゅうざ》するはめになりました。

「やめんかい！」と声を上げたのは長老《ちょうろう》でした。「それひとつで家の切《き》り盛《も》りをやってく気か？　踊《おど》って足上げて、つむじ風のまねごとをする以外《いがい》に能《のう》はないのか？」

「娘《むすめ》らの特技《とくぎ》なら、じきにお見せしよう」妖精《ようせい》王はそう言うと末娘《すえむすめ》を呼《よ》びました。はかない月光のように色白で細く、いちばんしとやかな娘《むすめ》です。白い木ぎれを口に含《ふく》んだとたんに、姿《すがた》が消えてしまいました。これが特技《とくぎ》というわけです。ところが長老《ちょうろう》に言わせれば、わしの嫁《よめ》にこんなまねをされてはかなわんし、うちの息子《むすこ》らも、そんな嫁《よめ》だったらやっぱり二の足を踏《ふ》むんじゃないかと。お次の娘《むすめ》は自分とうりふたつの分身を出して、影《かげ》のように連《つ》れ歩《ある》くことができました。小人《こびと》たちには影法師《かげぼうし》などありません。三人めはがらりと趣向《しゅこう》を変《か》えてきました。沼女《ぬまおんな》のビール醸造《じょうぞう》場で、ホタルをしこたま飾《かざ》った妖精《ようせい》風プディングの作り方を習ってきたのです。

「いい女房《にょうぼう》になりそうな子だ」長老《ちょうろう》はそう言うと、娘《むすめ》の健康《けんこう》を祝《いわ》って杯《さかずき》をあげるかわりに、目配せをしました。あまり酒が飲めないほうだったのです。

さて、今度は四人めの番です。大きなハープをかかえてきて鳴らし始めました。すると、ポロンと鳴るが早いか、その場のみんなが左足を上げ（小人《こびと》の利《き》き足《あし》は左です）、次にポロンとやるとみんな娘《むすめ》の意のままになり、すべて言うなりに従《したが》います。

「なんと危《あぶ》ない女だ」と長老《ちょうろう》にも言われるし、息子《むすこ》たちはもういいと言って丘《おか》から出て行ってしまいました。「お次の娘《むすめ》さんは何ができるね？」と、長老《ちょうろう》がたずねます。

「ノルウェーのかたがたのことをすっかり学びました。ただしノルウェーに行くのはかまいませんが、お嫁入《よめい》りは絶対《ぜったい》にしません」

そこで末娘《すえむすめ》が長老《ちょうろう》にそっと耳打ちします。「あれね、前にノルウェーの歌の文句《もんく》を小耳にはさんだからなの。世界が崩《くず》れ去《さ》ろうとも、ノルウェーの岸壁《がんぺき》はゆるぎなく残《のこ》り続《つづ》けるっていう。だから行きたいんだって、ひょっとして自分は助かるかもしれないから。溺《おぼ》れ死《じ》ぬのがよっぽど怖《こわ》いのね。理由はそれだけよ」

「ほっほう！」長老《ちょうろう》が応《おう》じます。「そういう魂胆《こんたん》か？　ふむ、それで最後《さいご》に控《ひか》えた七人めは何ができるかな？」

「七人めの前だから六人めですな」妖精《ようせい》王はちゃんと数えて言いましたが、六人めは出てこようとしません。

「わたしはうそがつけないんです。こんな娘《むすめ》をわざわざ気にかけて、かまってくれる人なんかいません。やることはやり終えたので、もう自分の経帷子《きょうかたびら》を縫《ぬ》うつもりです」

そんなわけで、最後《さいご》の七人めになりました。特技《とくぎ》はなんでしょうか？　そりゃもう、お話語りですよ。どんなお題でも、聞き手のお気がすむまで好《す》きなだけね。

「わしの指は五本ある」と長老《ちょうろう》は言いました。「じゃあ、ここにある指の話をしておくれ、一本につき、ひとつずつだ」

すると娘《むすめ》にむんずと手首をつかまれ、長老《ちょうろう》は笑《わら》いすぎて息ができなくなりました。お話が四本めの指にさしかかりますと、まるで婚約《こんやく》するのを見越《みこ》してといわんばかりに金の指環《ゆびわ》がはまっています。長老《ちょうろう》はそこで、「そのまま手を握《にぎ》っていなさい、あんたのもんだ。わしの嫁《よめ》にはあんたをもらおう」

娘《むすめ》のほうでは、薬指と、おちびの笛吹《ふ》きピーターと呼《よ》ばれる小指がまだですけど、と申し出ます。

「そのふたつは冬場に聞かせてもらおう。それにモミやカバの木の話やら、いろんな怪談《かいだん》やら、霜柱《しもばしら》がキシキシする話もな。いろんな話をしておくれ、うちのほうには巧《たく》みな語《かた》り部《べ》がおらんのだ。岩山の城《しろ》で、松《まつ》の丸太が燃《も》えさかる部屋でいっしょに腰《こし》をおろして、大昔のノルウェー王たちが使った金むくの角杯《かくはい》で蜂蜜酒《ミード》でもやりながらじっくり語ってもらおう。角杯《かくはい》は一対《つい》ある、川の神にもらったんだ。そのうちに水妖《ニクス》が遊びにきて、山の羊飼《ひつじか》い娘《むすめ》の歌をありったけ歌ってきかせてくれるよ。夫婦《ふうふ》水入らずはさぞ楽しかろうて！　滝《たき》登りする鮭《さけ》は岩肌《いわはだ》をなぞるが、中までもぐりこめはせん。昔ながらのノルウェーの暮《く》らしは最高《さいこう》に楽しいことばかりだぞ。そういや、せがれどもはどうした？」

ほんとに、どうしちゃったんでしょうね？　それがねえ、ふたりで野原を駆《か》け回《まわ》って、わざわざ親切にたいまつを持ってきてくれた鬼火《おにび》たちを片《かた》っぱしから吹《ふ》き消《け》してたんです。

「こらっ、何を悪さしとるか」老父《ろうふ》はどやしつけました。「おまえらに新しい母さんを見つけてやったんだ、今度は自分たちの番だぞ。義理《ぎり》のおばたちの中から、ひとり選《えら》んで連《つ》れてこい」

ですが、若造《わかぞう》たちはそんなことより友だちと大いにしゃべって飲んで友情《ゆうじょう》を深めたいと言います。嫁《よめ》なんかまっぴらだと。あとは、ふたりで大いにしゃべって乾杯《かんぱい》し、ぐっと飲《の》み干《ほ》してから空っぽの杯《さかずき》を逆《さか》さにしてたがいに見せ合い、めいめい上着を脱《ぬ》いでテーブルに寝《ね》転《ころ》ぶと、そのまま眠《ねむ》ってしまいました。彼《かれ》らなりにくつろいだ態度《たいど》というわけです。長老《ちょうろう》のほうは息子《むすこ》たちをしりめに若《わか》い花嫁《はなよめ》と踊《おど》り回《まわ》り、夫婦《ふうふ》でブーツを取《と》り換《か》えっこしました。そのほうが指環《ゆびわ》交換《こうかん》よりもよほど気が利《き》いています。「一番鶏《いちばんどり》ですよ」家政《かせい》をあずかる遠縁《とおえん》の娘《むすめ》が言いました。「さあ、お日さまにあぶられてやけどしないうちに、よろい戸をおろさなくちゃね！」

やがて、妖精《ようせい》の丘《おか》はすっかり閉《し》め切《き》られました。トカゲたちは相変《あいか》わらず木の割《わ》れ目《め》でちょろちょろしていましたが、トカゲのだれかが仲間《なかま》に話しかけました。「いやあ、あの長老《ちょうろう》さんは見ごたえあったねえ！」

「息子《むすこ》たちのほうが見ばえがするよ」と言ったのはミミズ君です。そんなことを言ったって、目がないのにね。

ニワトコおばさん

小さい坊《ぼう》やがおんもで足をびしょびしょにして風邪《かぜ》をひいてしまいました。ですが、理由がわかる人はひとりもいませんでした。雨はここしばらくさっぱりだったのにね。母親は子どもの服を脱《ぬ》がせてベッドに入れ、体を温めるニワトコのハーブティーをカップになみなみと飲ませようと、ティーポットを持ってこさせました。ちょうど部屋のドアを開けたところへ、この家の屋根裏《やねうら》部屋でひとり暮《ぐ》らしの、いっぷう変《か》わったおじさんが入ってきました。奥《おく》さんも子どももいませんが、子どもであればどこの子でも大好《だいす》きで、とても楽しいお話をどっさり知っています。

「さ、お茶をおあがり」と、母親が坊《ぼう》やに言いました。「そしたらお話をしてもらえるんじゃないかしら」

「そうとも」おじさんが優《やさ》しく応《おう》じます。「うまく新しいお話を思いつけばいいが！ところで、坊《ぼう》やのあんよはどうして濡《ぬ》れたかな？」

「そう、そこなんですよ」と母親。「それがねえ、さっぱり見当もつきません」

「お話してもらえる？」坊《ぼう》やはたずねました。

「いいよ。けど、その前にぜひ教えておくれ。坊《ぼう》やの通学路の途中《とちゅう》にある小道のどぶはどれぐらい深いか、なるべく詳《くわ》しく頼《たの》むよ」

「ブーツのちょうど半分ぐらいね」坊《ぼう》やは答え、「ただし、深い穴《あな》にはまればだよ」

「そうなりゃ濡《ぬ》れもするわな」おじさんは言いました。「さて、こうなったらお話をしないとな。それなのに手持ちはひとつもないとくる」

「おじちゃんならすぐ思いつくよ」坊《ぼう》やは言いました。「お母さんが言ってたもん。おじちゃんは見たはじからお話に仕立てちゃう、触《ふ》れたそばからなんでもお話にしちゃうって」

「そりゃそうだが、そんなでっちあげのお話には値打《ねう》ちがないんでね。ほんものはひとりでに向こうから来るもんだ。そうしておでこをノックして、入りますよ！　と声をかけてくる」

「もうすぐノックしない？」坊《ぼう》やのせがみように、ニワトコ茶をポットに入れてお湯を注いでいた母親が笑《わら》います。「ねえ、お話！　お話だよう！」

「よしよし、お話が来たらすぐにしてあげような。だが、そんなお話はなかなか特別なんだ。気が向いた時しか来ないんだよ。ん？　待った！」と、いきなり言いだして、「そこだ！　そら、そのティーポットにたった今入ったぞ！」

　坊《ぼう》やがティーポットのほうを見ると、ポットのふたがひとりでにゆっくり持ち上がり、中からみずみずしいニワトコの白い花があらわれました。さらにポットの注ぎ口からもはみでるように長い枝《えだ》を突《つ》き出《だ》し、そこからほうぼうに伸《の》び広《ひろ》がり、ずんずん、ずんずんと大きくなっていきます。やがて最高《さいこう》にみごとなニワトコになりました――ほんものの大木です！　枝先《えださき》は坊《ぼう》やのベッドに届《とど》いて、ベッドのカーテンを押《お》しのけ――ニワトコの花のいい香《かお》り！　木のまん中には、変《か》わった服装《ふくそう》の優《やさ》しそうなおばあさんが座《すわ》っていました。ニワトコの葉のように緑の服のふちどりは大きな白いニワトコの花です。ぱっと見には布地《ぬのじ》でできているのか、それとも生きた葉や花なのか見分けがつきません。

「あの女の人、なんていうの」坊《ぼう》やはたずねました。

「そうさなあ、ローマやギリシアの人たちは」と、おじさん。木の精《ドリュアス》とかなんとか呼《よ》びならわしていたが、なにぶん大昔のことだ。水兵《すいへい》たちの住むニーボーザ区にはもっとましな呼《よ》び名《な》がある。あっちじゃ「ニワトコおばさん」で通ってるよ。さて、ようくごろうじろ、おばさんの言うことをよく聞いて、あのまばゆいニワトコの木をじ

ニワトコおばさん

っと見ておいで！

ちょうどあれそっくりな花ざかりの大木がニーボーザにあってな、みすぼらしい小さな裏庭《うらにわ》の片隅《かたすみ》に生えていた。ある午後に、その木陰《こかげ》で老人《ろうじん》ふたりがうららかな陽ざしを浴《あ》びておった。水兵《すいへい》だったおじいさんと、もうよぼよぼのおかみさんだ。ひ孫《まご》が何人もいて、金婚式《きんこんしき》の祝《いわ》いも間近だが、正確《せいかく》な日取りはどっちもあやふやだった。ニワトコおばさんはその木に座《すわ》って今のようににこにこしていたよ。「いつが金婚式《きんこんしき》の日か、わたしはよく知ってますよ」と言ってあげたんだが、老人《ろうじん》たちの耳には届《とど》かなかった――はるか昔の思い出話に、ふたりで花を咲《さ》かせていたからね。

「そう、覚《おぼ》えているかね」おじいさんが言った。「どっちもまだ小さくて、いっしょに駆《か》け回《まわ》って遊んだことを？　今まさにここでこうして座《すわ》っている庭で、ふたりで地べたに小枝《こえだ》を刺《さ》したやつを庭に見立ててなあ」

「そんなこともありましたね」と、おばあさんが答える。「ようく覚《おぼ》えてますよ。その中にニワトコの枝《えだ》があって。ふたりで水をやったら根がついて緑に芽《め》ぶいて、こうして年とったわたしたちが木陰《こかげ》に座《すわ》れるほど大きく育ってくれて」

「そうじゃった、そうじゃった」と、おじいさん。「庭の隅《すみ》っこに水桶《みずおけ》があって、自分でこしらえた舟《ふね》を浮《う》かべたよ。よく走ったなあ！　だが、それからまもなく船出す

るはめになった、また別《べつ》の船に乗ってな」
「そうねえ。けど、その前にふたりとも学校で勉強したでしょ」と、おばあさん。「それから堅信礼《けんしんれい》ね。ふたりともわんわん泣《な》いたじゃない？　でも昼すぎにはいっしょにコペンハーゲン天文台の円塔《えんとう》にのぼって、コペンハーゲ

ンの街《まち》からずっと海のかなたまで眺《なが》めたわね。そこからフレズレクスビェア公園の丘《おか》へあがってって、きれいな船で運河《うんが》下りをなさる王さまと王妃《おうひ》さまを見たわ！」

「わしの船なんか、月とすっぽんだったな。しかも長旅になり、何年も何年も帰りたくても帰れなんだ」

「あなたを思って何度泣《な》いたことか。てっきり死んでしまって、深い海の底《そこ》でゆらゆらしているんじゃないかとばかり。夜中に起きて風見鶏《かざみどり》がちゃんと動くかどうかを確《たし》かめに出るのもしょっちゅうでしたよ。風見はちゃんと動いてたのに、あなたの帰りはまだだった。

どしゃ降《ぶ》りのある日を、今もはっきりと覚《おぼ》えてますよ。奉公先《ほうこうさき》にゴミ屋さんがきてね、ゴミ箱を持っておりたわたしが戸口に立っていました。ひどいお天気でねえ！　そうしてそこで待ってたら、郵便屋《ゆうびんや》さんが手紙を届《とど》けてくれたの――あなたからの手紙を！　まあまあ、ずいぶんほうぼう寄《よ》り道《みち》してきた手紙だったわねえ！　大急ぎで封《ふう》を切って読みながら、もううれしくてうれしくて、笑《わら》うのと泣《な》くのをいっぺんにしましたよ。今はコーヒーの実のなる暖《あたた》かい国々にいるんだよって書いてあったわ。さぞ、すてきなところでしょうね！　いろんなことがすっかり書いてあったお手紙を、ざあざあ降《ぶ》りの中でゴミ箱をわきに置《お》いて立ち読みしたわ。そしたら、そこへだれかがきて、わたしの腰《こし》をぎゅっと抱《だ》きかかえたの！」

「おまえさんは横《よこ》っ面《つら》にガーンとかました。ほんとに音がしそうな一発だった！」

「そりゃそうよ。だってまさか、あなただなんて！　手紙と同時のお帰りだったわね。そりゃあハンサムで——もちろん今もだけど！　あの時はポケットに黄色い絹《きぬ》のハンカチを長めにさして、ぴかぴかのお帽子《ぼうし》でしょ。もうほんとにすてきだった！　だけど、あいにくのお天気で路上のありさまときたら！」

「それから夫婦《ふうふ》になったよな、覚《おぼ》えているかい？　やがて上の息子《むすこ》が生まれ、そのあとにマリーやニールスやピーターやハンス・クリスチャンができたんだぞ？」

「そうそう、そうでしたね」おばあさんがうなずいた。「みんな立派《りっぱ》に育ってくれて。だれからも好《す》かれて」

「その子らのそのまた子らがもう所帯《しょたい》を持って、チビどもを抱《かか》えとるんじゃからなあ」と、元水兵《すいへい》のおじいさんが言う。「そうとも、わしらのひ孫ってわけじゃ。どの子もいい子じゃよ。わしの記憶違《きおくちが》いでなければ、わしらが結婚式《けっこんしき》をあげたのはちょうど今時分《いまじぶん》じゃなかったかのう」

「そうよ。ちょうど今日が金婚式《きんこんしき》よ！」と、ニワトコおばさんが木の上から顔だけのぞかせて、老夫婦《ろうふうふ》の間に割《わ》りこんだ。だけど、ふたりとも近所のおばさんに会釈《えしゃく》されたと勘違《かんちが》いしてね、おたがいを見ながら手をつないでいたよ。

やがて子らや孫《まご》らが集まってきた。今日はじじばばの金婚式《きんこんしき》だと百も承知《しょうち》だよ——おめでとうなら、もうその朝にすませたんだ。だけど老夫婦《ろうふうふ》のほうは、昔にあったことならなんでも覚《おぼ》えているが、そんな最近《さいきん》のことはきれいに忘《わす》れてしまうんだよ。

ニワトコの木はふくよかな香《かお》りを放ち、沈《しず》みゆく太陽のあかね色をまともに浴《あ》びた老夫婦《ろうふうふ》の顔は、血色を取《と》り戻《もど》してずいぶん若《わか》やいで見えた。いちばん末《すえ》の孫《まご》が祖父母《そふぼ》のまわりを踊《おど》りながら、うれしそうな大声ではしゃいでいたね。今夜はすごいごちそうだ、あったかいおいもだぞう！　ニワトコおばさんも木の上でうなずきながら、ほかのみんなと声を合わせて「やったあ！」と合いの手を入れたもんだ。

「けどさ、そんなの、作り話じゃないよ」それまでずっと聞いていた坊《ぼう》やが言いました。

「いやいや、そうだよ。ちゃんと人生の味がわかるようになればね」と、おじさんは言いました。「だけど、そのへんはニワトコおばさんにたずねてみないか」

「そうね」ニワトコおばさんは言いました。「作り話じゃないわね。でも、ほんもののお話ならそのうちに追いつくわよ。とびきり不思議《ふしぎ》なお話は実生活から生まれるんだから。そうでもなければ、ティーポットからこんなきれいなニワトコの木が生えてくるわけないでしょう」

　そう言うとベッドで寝《ね》ていた坊《ぼう》やを胸《むね》に抱《だ》き上《あ》げ、咲《さ》きかけたニワトコの花房《はなぶさ》を巡《めぐ》らしたあずまやをこんもりと茂《しげ》らせて、ふたりで中にこもりました。しかも、このあずまやは空を飛《と》ぶのです！　最高《さいこう》ですね！　おばさんはたちまちかわいい女の子に変《へん》身《しん》しましたが、服はそれまでと同じ白い花のふち飾《かざ》りをあしらった緑のドレスです。胸《むね》にはほんもののニワトコの花を飾《かざ》り、くるくるした黄色い髪《かみ》に胸元《むなもと》とおそろいの花《はな》冠《かんむり》をのせています。大きな青い目に、見れば見るほど美しい顔！　美少女は坊《ぼう》やと同い年ぐらいになり、おたがいにキスしていっしょに喜《よろこ》んでいます。

　ふたりでお手てをつないであずまやを出ると、いつの間にか坊《ぼう》やのうちのきれいなお花畑に立っていました。青い芝生《しばふ》のそばの支柱《しちゅう》に、坊《ぼう》やの父親のステッキがひもでつないであります。小さい子どもたちにとって、そのステッキは魔力《まりょく》のこもった生き物です。ふたりしてまたがると、ぴかぴかの握《にぎ》りは黒いたてがみをなびかせていななく名馬の頭に早変《はやが》わりし、すんなりと力強い四本脚《あし》が生えて元気いっぱいの馬になりました。その背《せ》に相乗りして芝生《しばふ》のお庭を自在《じざい》に駆《か》け回《まわ》ります。

「さあ、これから何マイルも遠乗りしよう！」坊《ぼう》やが言います。「行くぞ、去年に行った貴族《きぞく》のお屋敷《やしき》へ！」

はいし、どうどうと芝生《しばふ》のお庭を何周《なんしゅう》も巡《めぐ》り、女の子は（ニワトコおばさんでもあるのをくれぐれもお忘《わす》れなく）たえず大声で言い続《つづ》けました。「さあ、田舎《いなか》についたぞう！　ほらっ、農家だわ。大きなパン焼《や》きかまどがあるでしょ、塀《へい》からはみ出して、道ばたに大きな卵《たまご》が落ちてるみたい！　ニワトコが家に枝《えだ》をかざしておおいかぶさり、おんどりが歩き回ってめんどりたちにやるエサを掘《ほ》ってるわ。ずいぶん偉《えら》そうねえ！もうじき教会ね！　あの丘《おか》の上で、ナラの大木に埋《う》もれてるみたい。ナラの一本なんか、ほらっ、木の半分が枯《か》れてる！　鍛冶屋《かじや》にきたね、火が燃《も》えてて、おじさんたちがズボンだけになってハンマーをふるってるよ。そこらじゅうに火花が飛《と》んで、すごいねえ！　さ、行こう！　行きましょうよ、あっちのすてきな貴族《きぞく》のお屋敷《やしき》へ！」

そうやって芝生《しばふ》の上をただ回っているだけなのに、坊《ぼう》やの目には何もかもが魔法《まほう》のステッキの後ろに乗せた女の子の言った通りになっていくようです。あとは脇道《わきみち》に出て行って、地べたをちまちまと区切ってささやかなお庭ごっこをしました。女の子が髪《かみ》にさしたニワトコの花を抜《ぬ》いて植えるとずんずん大きくなり、さっき話したニーボーザの老夫婦《ろうふうふ》が子どものころに植えたのとそっくりな大木になりました。この子たちが手をつないで行くのを見れば、あの老夫婦《ろうふうふ》の子ども時代そのままですが、こっちの子たちは円塔《えんとう》やフレズレクスビェアには行きません。女の子が坊《ぼう》やの胴《どう》につかまっていっしょに飛《と》びながら、デンマーク中を翔《か》けぬけるのです。

そうしているうちに季《き》節《せつ》は移《うつ》ろい、春から夏、秋から冬になり、女の子が歌うたびに坊《ぼう》やの頭と心に何千もの情《じょう》景《けい》を刻《きざ》みこみました。「忘《わす》れてはだめ、絶《ぜっ》対《たい》に」

そうして飛《と》びながらも、あのニワトコの甘《あま》い香《かお》りは最《さい》後《ご》までついて回りました。バラの花や、さわやかなブナ林の香《かお》りがすることもありましたが、香《かお》りなら何と言ってもあのニワトコでした。ニワトコの花《はな》房《ぶさ》はあの女の子の心《しん》臓《ぞう》から垂《た》れさがり、坊《ぼう》やは飛《と》ぶ途《と》中《ちゅう》でたびたびそちらに顔を寄《よ》せ、匂《にお》いを吸《す》いこんだからです。

「ここの春は本当にすてきよ！」と女の子に言われました。

やがて降《お》り立《た》った場所は新《しん》芽《め》をつけたブナ林で、足元にはクルマバソウの緑が広がり、ところどころに薄《うす》ピンクのアネモネが、葉の色をいっそうひきたてています。

「ああ、デンマークのかぐわしいブナ林がいつでも春ならいいのに！」

「ここの夏は本当にすてきよ！」と女の子に言われました。

通りすがりに大昔のお城《しろ》を見かけました。赤い城《じょう》壁《へき》にとがった破《は》風《ふ》が、白鳥たちが遊ぶお堀《ほり》の水面に映《うつ》りこみ、古い並《なみ》木《き》道《みち》の涼《すず》しそうな木《こ》陰《かげ》も見えます。穀《こく》物《もつ》畑《ばたけ》で麦《むぎ》穂《ほ》が揺《ゆ》れ、波打つさまは海さながらで、畑のあぜには赤や黄色の花が咲《さ》き乱《みだ》れ、生《いけ》垣《がき》に野生のホップや半開きのヒルガオが絡《から》んでいます。夕べともなれば、まどかな満《まん》月《げつ》があらわれ、牧草地《ぼくそうち》のあちこちで干草塚《ほしくさづか》を甘《あま》く香《かお》らせます。

「忘《わす》れられない眺《なが》めね。ここの秋は本当にすてきよ！」と女の子に言われました。

天空が前に倍する高さと青さでつきぬけ、森はひときわ豪奢《ごうしゃ》な赤と黄と緑をまといます。牧草地《ぼくそうち》をまたいで駆《か》けつける猟犬《りょうけん》をよそに、野ガモの長い列はかん高く鳴《な》き騒《さわ》ぎ、黒イチゴのつるを古びた石に食いこませた古墳《こふん》を飛び過《す》ぎていきます。底《そこ》なしの紺青《こんじょう》の海に点々と浮《う》かぶ白い帆《ほ》。納屋《なや》では幼女《ようじょ》からおばあさんまでそろってホップを大樽《おおだる》に入れるそばで若者《わかもの》は民謡《みんよう》を歌い、古老《ころう》は妖精《ようせい》や小人《こびと》の言《い》い伝《つた》えを語り聞かせます。この世のどこを探《さが》してもこれ以上《いじょう》は見つかりっこない、最高《さいこう》の場所です。

「ここの冬は本当にすてきよ！」と女の子に言われました。

すると、すべての木々がびっしりと霜《しも》をちりばめて白珊瑚《しろさんご》の林とまごう姿《すがた》になりました。さくさくの雪がブーツの底《そこ》に当たるといつでも新品に戻《もど》ったような履《は》き心地《ごこち》を味わえ、天には次から次へと星が流れます。室内はクリスマスツリーに灯《ひ》がともされ、プレゼントのあれこれに一家団欒《いっかだんらん》が華《はな》やぎます。農家のお祝《いわ》いにはヴァイオリンと各《かく》種《しゅ》のゲームがつきもの、景品《けいひん》はリンゴ入り焼きドーナツ《エーヴルスキーヴァー》で、どんなに貧《まず》しい家の子どもでもほがらかに言います。「ああ、冬はいいなあ！」

ええ、本当にすてきですね。女の子が坊《ぼう》やにすっかり見せてくれた通りです。

花咲《はなさ》くニワトコの香《かお》りはずっとついて回り、赤と白十字の国旗《こっき》をゆらす風になりました。ニーボーザのおじいさんが若いころに、船出を飾《かざ》ったあの旗《はた》です。坊《ぼう》やはいっぱしの若者《わかもの》になり、やはりコーヒーの実るはるかな暖《あたた》かい国へ船でやられることになりました。それで、あの女の子はお餞別《せんべつ》がわりに自分の心臓《しんぞう》に生えたニワトコの花を抜《ぬ》いて、旅立つ若者《わかもの》に渡《わた》しました。若者《わかもの》はその花を讃美歌《さんびか》の本にはさんでおき、遠い異国《いこく》の空の下でいつ開けても、あの花をはさんだページに行き当たりました。見れば見るほどその花はいっそうみずみずしい香《かお》りを放ち、デンマークのさわやかな森で深呼吸《しんこきゅう》する気分にさせてくれましたし、ニワトコの花びらの陰《かげ》から澄《す》んだ青い目を向けるあの子の顔がはっきりと見え、つぶやきが聞こえました。「こっちの春夏秋冬は本当にすてきよ！」そこで何百何千もの思い出が解《と》き放《はな》たれ、あとからあとから頭をよぎるのです。

あれからずいぶんたち、もう老人《ろうじん》になった若者《わかもの》は、やはり老《お》いたかみさんと花咲《はなさ》く木陰《こかげ》で休んでいました。ひ孫のいる年になったニーボーザの老夫婦《ろうふうふ》が前にそうしたように手をつなぎ、やっぱりあのふたりのように過《す》ぎた日々の思い出や、間近な金婚式《きんこんしき》の話をしていました。

ニワトコの花を髪《かみ》にさした青い目の女の子が木の上にいて、老夫婦《ろうふうふ》にうなずいてみせました。「あなたたちの金婚式《きんこんしき》は今日よ！」髪《かみ》から花をふたつ取ってキスし、まず銀に、それから金に光らせます。輝《かがや》く花を老夫婦《ろうふうふ》の頭にひとつずつのせると、どちらも金の冠《かんむり》になりました。香《かお》り高《たか》いニワトコの木陰《こかげ》でどこからどう見ても、王《おう》さまと王妃《ひ》さまになったふたりは腰《こし》をおろし続《つづ》け、おじいさんはニワトコおばさんのお話をおばあさんに話してきかせ、ほんの坊《ぼう》やだったころにおじさんから聞いた通りを伝《つた》えました。ふたりとも内心で、自分たちの人生とずいぶんそっくりな話があるもんだなあ、だけど、似通《にかよ》っているところがまた最高《さいこう》にいいんだよなあと考えていました。

「そうよ、そういうものなの」木の上の女の子に言われました。「わたしをニワトコおばさんと呼《よ》ぶ人も、木の精《ドリュアス》と呼《よ》ぶ人もいるけど、本名は〝思い出〟というのよ。時とともに大きく育つ木の中心に座《すわ》り、いろんな思い出を呼《よ》びさましてお話を作るのがこのわたし。さて、あなたはまだあのお餞別《せんべつ》の花を持っているかしらね」

それで老人《ろうじん》が讃美歌《さんびか》の本を開くと、あのニワトコの花は、たった今はさんだように生き生きしていました。思い出がその花にうなずくと、金の冠《かんむり》をいただく老夫婦《ろうふうふ》はあかね色のたそがれの中で寄《よ》り添《そ》ってそっと目をつぶり――そして――そして――そしてお話の幕切《まくぎ》れとなりました……。

坊《ぼう》やはベッドに寝《ね》ており、今のは夢《ゆめ》なのか、それともお話なのかわからなくなっていました。ティーポットはすぐそばのテーブルにありますが、ニワトコの木がはみ出てなどいませんし、お話のおじさんはちょうどドアから出て行くところでした。

「もう本当にすてきだったんだよ！」と男の子は言いました。「お母さん、ぼくね、あったかい国々へ行ってきたの！」

「ええ、どうやらそうみたいね。ニワトコ茶をなみなみと二杯《はい》も飲めば、まあ普通《ふつう》はあったかい国にいるのと変《か》わらないもの！」そうして風邪《かぜ》がぶり返さないように、ふとんで坊《ぼう》やを丁寧《ていねい》にくるんでくれました。「坊《ぼう》やがぐっすり寝《ね》んねしてた間に、お母さんとおじちゃんは意見が割《わ》れたのよ。あれはほんものか、それともただの作り話なのかって」

「ニワトコおばさんは？」と、坊《ぼう》やがききました。

「ティーポットの中よ。そこなら長居《ながい》されても全然《ぜんぜん》かまわないからね！」

お父さんのすることはいつもよし

では、これから、わたしが小さい男の子だったころに聞いたお話をしますよ。このお話は、思い出すたびに、ますます味わい深くなってくるような気がするんです。世の中の人たちの多くも、年をとるごとに味が出てくるものですが、それと同じなんですよ。なんて面白《おもしろ》いんでしょうね。

あなたは田舎《いなか》へ行ったことがありますよね、そうでしょうとも！　でしたら、そのとき、藁《わら》ぶきのたいそう古い農家を見たことがあるに違《ちが》いありません。屋根には苔《こけ》や草が生え放題で、屋根のてっぺんにはコウノトリの巣《す》があるでしょう。コウノトリは必《かなら》ずいなくちゃなりませんよね。その農家の壁《かべ》は傾《かたむ》いていて、窓《まど》は低《ひく》くて、その窓《まど》のうち、開けるようになっているのはたったひとつだけ。そして、太った小さな体みたいに、かまどが壁《かべ》から出《で》っ張《ぱ》っているんです。柵《さく》にはニワトコの木がおおいかぶさって、その枝《えだ》の下の柵《さく》の根元あたりに、小さな池があるでしょう。そこにはアヒルが一羽《わ》とアヒルの子が何羽《なんわ》か、節《ふし》くれだった古い柳《やなぎ》の木の下にいます。庭には犬も一匹《ぴき》いて、通りかかる人にだれかれとなく吠《ほ》えるんです。

さて、ちょうどそんな農家が田舎《いなか》にあって、年をとった夫婦《ふうふ》が住んでいました。お百姓《ひやくしよう》と、おかみさんです。持ち物はあまりありませんが、なくてもすむと思っているものが、ひとつだけありました。それは馬です。馬は道ばたの溝《みぞ》に生えている草を食べて、なんとか生きていました。年とったお百姓《ひやくしよう》は、この馬に乗って町へ行きますし、近所の人たちが馬を借《か》りては、そのお礼にと何かをしてくれることもあります。それなのに、この夫婦《ふうふ》は、馬を売るか、もっと役に立つものと取りかえたほうがいいと思いついたのでした。

でも、役に立つものって、何なのでしょうか?

「それはおまえさんが一番よくわかるに違《ちが》いないよ、お父さん」とおかみさんが言いました。「今日は市が立つ日だよ。馬に乗って町へ行って、馬をお金にかえるか、いいものと取りかえっこすればいいじゃないか。お父さんのすることは、あたしにとってもいいことだからね。さあ、市へ出かけといで」

そこで、おかみさんはお父さんのネッカチーフを結《むす》んでやりました。おかみさんのほうが上手《じようず》に結《むす》べたからです。それは二重蝶結《ちようむす》びというもので、そうすると、お父さんがとてもかっこよく見えました。それから、お父さんの帽子《ぼうし》を手のひらで丁寧《ていねい》に払《はら》って、キスをしました。というわけで、お父さんは馬に乗って出かけたのです。馬は売られるのでしょうか、何かと取りかえっこされるのでしょうか。ええ、お父さんはどうしたらいいか、わかっていますとも。

お日さまはかんかん照《で》りで、空には雲ひとつありません。道は土ぼこりで、もうもうとしていました。それはもうたくさんの人たちが市をめざして、馬車に乗ったり、馬に乗ったり、歩いたりしていたからなんです。ええ、焼《や》けつくような陽射《ひざ》しで、日《ひ》陰《かげ》などどこにもありませんでした。

そこへ、雌牛《めうし》を連《つ》れている男がやってきました。どの雌牛《めうし》にも負けないほど立派《りっぱ》な雌牛《めうし》です。「こりゃあ、うまいミルクを出してくれるだろうて」とお百姓《ひゃくしょう》は思いました。「取りかえっこするにゃ、もってこいだな」

「もしもし、雌牛《めうし》を連《つ》れたそこのお方！」お百姓《ひゃくしょう》は声をかけました。「ちょっと話があるんだがね。馬は雌牛《めうし》よりも値《ね》打ちがあると思っちゃいるんだけど、まあ、それはいいとして、こっちにとっちゃ、雌牛《めうし》のほうが役に立ちそうでの。良《よ》かったら、取りかえっこしようじゃないか」

「ああ、いいとも」と雌牛《めうし》を連《つ》れた男が言いました。そして、ふたりは取りかえっことをしたのです。

というわけで、お百姓《ひゃくしょう》は家へ戻《もど》ってもよかったのです。用事はちゃんと終わったのですからね。でも、お百姓《ひゃくしょう》は、市へ行こうと決めてきたからには、見るだけでもいいと思い、とにかく市へ向かうことにしました。そこで、自分のものになった雌牛《めうし》を連《つ》れて、歩《ある》き続《つづ》けたのです。

雌牛《めうし》を連《つ》れて足どり軽く進んでいくと、やがて、ヒツジを連《つ》れている男に会いました。すばらしい太ったヒツジで、もこもこした毛におおわれています。

「あれがあったらいいなあ」お百姓《ひゃくしょう》はつぶやきました。「うちの柵《さく》のそばにどっさり生えてる草を食べさせりゃいいし、冬にゃ、いっしょに部屋にいりゃあいい。雌牛《めうし》よりもヒツジを飼《か》ったほうが、便利《べんり》に違《ちが》いないよ。取りかえっこしないかね？」

ヒツジを連《つ》れた男はふたつ返事で応《おう》じたので、取りかえっこしたあと、お百姓《ひゃくしょう》はヒツジを連《つ》れて大通りを歩いていきました。

まもなく、畑から道路へ出てきた男に会いました。大きなガチョウを腕《うで》にかかえています。

「重そうなやつを持ってるんだね。羽もたっぷりなら、脂《あぶら》もたっぷりありそうだ。紐《ひも》でつないで、うちの池に置《お》いたら、見ばえがしそうだよ。うちのかみさんだって、食《た》べ残《のこ》しを無駄《むだ》にしないですむってもんだ。しょっちゅう言ってるもんなあ。「ガチョウがいたらねえ」ってな。そうだよ、いま、ガチョウが手に入るかもしんねえ。もしかしたら、かみさんのものになるかもだぞ。なあ、取りかえっこしないかね？ そのガチョウの代わりに、うちのヒツジをやるよ。おまけに、「ありがとう」の言葉も添《そ》えてな」

相手の男はもろ手をあげて承知《しょうち》したので、ふたりは取りかえっこをして、お百姓《ひゃくしょう》はガチョウを手に入れました。

そのころには、お百姓《ひゃくしょう》は町のすぐ近くまで来ていました。道路はだんだん混《こ》んできて、人や家畜《かちく》が押《お》し合《あ》いへし合いしています。道ばたの柵《さく》のそばまであふれ、通行《つうこう》料《りょう》を取り立てる場所では、通行料《つうこうりょう》取り立て人のジャガイモ畑にまで入っています。その畑では、取り立て人が飼《か》っているたった一羽《わ》のめんどりが、歩きまわっていました。足を紐《ひも》でつながれていますが、それはめんどりが混雑《こんざつ》ぶりにおびえて逃《に》げ出《だ》し、いなくなってしまわないようにです。めんどりは尾《お》の羽が短く、片方《かたほう》の目をぱちくりさせていて、とてもかわいらしく見えました。

「クワッ、クワッ！」とめんどりが鳴きました。どういう意味だったのか、わたしにはわかりませんよ。でも、お百姓《ひゃくしょう》はそんなめんどりをじっと見つめて、こう思いました。こんなにすばらしいめんどりを見たのは、生まれて初《はじ》めてだよ！　なんと、牧《ぼく》師《し》さんが飼《か》ってるめんどりよりも、すばらしいときてる。こりゃまあ、あんなめんどりがほしいもんだ。にわとりってのは、いつだって麦のひと粒《つぶ》やふた粒《つぶ》を見つけて、自分で食いつないでいけるしな。このガチョウの代わりにあれがもらえたら、うまい取り引きってことになるぞ。

「取りかえっこしねえか？」お百姓《ひやくしよう》は取り立て人にたずねました。

「取りかえっこだって！」と取り立て人は言いました。「まあ、悪くはないね」

というわけで、ふたりは取りかえっこをして、取り立て人はガチョウを手に入れ、お百姓《ひやくしよう》はめんどりを手に入れたのでした。

さて、町へ行くまでのあいだに、たっぷり仕事をしたお百姓《ひやくしよう》は、暑いせいもあって疲《つか》れてきました。お酒を一杯《ぱい》と食べ物をちょこっとほしいところです。

すると、じきに居酒屋《いざかや》が見つかりました。ちょうどそこへ入ろうとしたとき、店で働《はたら》いている男が出てきたので、ふたりは戸口で鉢合《はちあ》わせしました。その男は何かがいっぱい詰《つ》まった袋《ふくろ》を背負《せお》っています。

「あんた、何を持ってるんだね？」お百姓《ひやくしよう》は聞きました。

「くさったリンゴだよ」と男は答えました。「この袋《ふくろ》にどっさり入ってるのさ。豚《ぶた》たちのエサにするんだ」

「なんとまあ、もったいねえ！　うちのかみさんに見せてやりてえよ。去年、泥炭《でいたん》小屋のそばにある古い木にゃ、リンゴがたった一個《こ》しかならなくてな。あっしたちはそいつをすっかりくさって食べられなくなるまで、戸棚《とだな》の上に置《お》いといたんだ。「なんにしろ、これもいいもんだよ」って、かみさんが言ったもんだ。これだけありゃ、かみさんはたくさんいいもんが見られるってこった。袋《ふくろ》いっぱいあるんだからな。うん、そいつをかみさんに見せてやりてえ」

「この袋《ふくろ》をおまえさんにやったら、代わりに何をくれるんだい？」男が聞きました。

「何をくれるだって？　代わりにこのめんどりをやるよ」

というわけで、お百姓《ひゃくしょう》は男にめんどりを渡《わた》してリンゴをもらい、それを持って居酒《いざか》屋《や》に入りました。そして、リンゴの袋《ふくろ》を暖炉《だんろ》に立てかけると、テーブルにつきました。暖炉《だんろ》には火が燃《も》えていたのですが、お百姓《ひゃくしょう》はまったく気づきません。居酒屋《いざかや》には見知らぬ客がたくさんいました。馬商人や家畜《かちく》商人に混《ま》じって、イギリス人もふたりいます。このふたりのイギリス人はたいへんなお金持ちで、ポケットが金貨《きんか》ではちきれそうでした。このふたりは賭けが大好《だいす》きだったのですよ。イギリス人って、お話のなかではいつもそんなふうに描かれていますよね。

ジュー！　ジュー！　暖炉《だんろ》のそばから聞こえるのは、何の音でしょう？　おやおや、リンゴが焼《や》けてきたのです！

「なんだ、あれは？」みんなが言いました。

そこで、お百姓《ひゃくしょう》はこれまでのいきさつを何もかも話しました。馬を雌牛《めうし》と取りかえっこしたことから、くさったリンゴひと袋《ふくろ》と取りかえるまでの一部始終を順々《じゅんじゅん》に。

「そりゃあ、おまえさん、うちへ帰ったら、おかみさんにどやされるぞ！」イギリス人たちが言いました。「ずいぶんな騒《さわ》ぎになるだろうよ！」

「なんだって？　かみさんが何をするって？」お百姓《ひゃくしょう》が言いました。「かみさんはあっしにキスをして、「お父さんのすることはいつもよし」って言ってくれるさ」

「じゃあ、賭《か》けをするかい？」イギリス人が言いました。「こっちは金貨《きんか》を賭《か》けよう。百ポンドだ！」

「六十ポンドでいいよ」とお百姓《ひゃくしょう》は言いました。「あっしはリンゴを六十ポンドしか賭《か》けられないからね。おまけに、あっしと、かみさんもつけるよ。それで充分《じゅうぶん》じゃないかい？」

「よし！」

というわけで、賭《か》けが決まりました。居酒屋《いざかや》の主人の馬車を出してもらって、イギリス人たちが乗り、お百姓《ひゃくしょう》も乗り、くさったリンゴも乗り、みんなで出かけて、やがてお百姓《ひゃくしょう》の小さな農場に着きました。

「お母さん、ただいま！」

「お帰り、お父さん！」

「ちゃんと、取りかえっこしてきたよ！」

「そうかい、おまえさんに任《まか》せときゃ大丈夫《だいじょうぶ》だからね」おかみさんはそう言って、お百姓《ひゃくしょう》を抱《だ》きしめ、見知らぬ人たちに目をやりもしなければ、袋《ふくろ》にも気づきません。

「馬と雌牛《めうし》を取りかえっこしたんだよ」とお百姓《ひゃくしょう》は言いました。

「そりゃあ、ありがたいね！」とおかみさんが言いました。「これで、おいしいミルクが飲めるし、バターやチーズをテーブルに並《なら》べられるよ！　何よりすばらしい取りかえっこじゃないか！」

「そうだろ。でも、その雌牛《めうし》をヒツジと取りかえっこしたんだ」

「おやまあ、そりゃあ、もっといいね！」とおかみさんが言いました。「おまえさんはいつだって、気《き》が利くんだね。ヒツジが食べる草ならたっぷりあるよ。ヒツジだったら、ミルクとチーズばかりか、毛の靴下《くつした》や毛の上着まで手に入るしね！　雌牛《めうし》にはそこまでできやしないし、毛だって抜《ぬ》けるばかりだからね。おまえさんはほんとに気が利《き》くよ！」

「でも、そのヒツジをやって、ガチョウをもらったんだ」

「だったら、今年はなんとガチョウの丸焼《まるや》きが食べられるね、おまえさん。いつもあたしを喜《よろこ》ばせることを考えてくれるんだねえ。ほんとにうれしいよ！　ガチョウは足に紐《ひも》をつけて、歩かせとけばいいし。そうすりゃ、ミカエル祭までにはもっと太るだろうよ」

「でも、そのガチョウをめんどりと取りかえっこしたんだ」とお百姓《ひやくしよう》は言いました。

「めんどりだって？　それこそ、うまい取りかえっこじゃないか！」おかみさんが答えました。「めんどりは卵《たまご》を産《う》ん

で、それがかえるとヒヨコがたくさんできるから、あたしたちはにわとり小屋を作ればいいよ！　ああ、あたしはそうしたいって、ずっと思ってたんだ」

「そうかい、でも、そのめんどりをくさったリンゴひと袋《ふくろ》と取りかえっこしたんだ」

「おやまあ！　だったら、なんと、おまえさんにキスをしなくちゃならないよ」おかみさんは声を張《は》り上《あ》げました。「まったく、なんていい亭主《ていしゅ》なんだろう！　あのね、じつはこういうわけなのよ。ほかでもない、今朝おまえさんが出かけたあと、晩《ばん》には何かうんとおいしいものを作ってあげようと思ってね。で、チャイブ入りのオムレツにするつもりだったんだよ。卵《たまご》はあるし。だけど、チャイブがなかったもんで、校長先生の家へ行ったんだ。あそこにはチャイブがあるって、知ってたから。なのに、あの奥《おく》さんってのは、意地悪でね。あんなにきれいな顔をしてるのにさ。代わりに何かをくれなんて言うんだよ。あたしが何をあげられる？　うちの庭にはなんにも育ってないのに。くさったリンゴひとつないんだから、あげられやしなかったよ。だけど、いまは、あの奥《おく》さんにやれるよ。十個《こ》だって、ひと袋《ふくろ》まるまるだってね。ああ、良《よ》かったよ、あんた！」そして、おかみさんはお百姓《ひやくしょう》の口にキスをしたのです。

「いいねえ！」ふたりのイギリス人が声をそろえて言いました。「いつもひどくなっていくのに、いつも楽しそうだなんて。これはお金を払《はら》うだけの値打《ねう》ちがあるよ」

そこで、叩《たた》かれたりせずにキスをしてもらったお百姓《ひやくしよう》に、イギリス人は気前よく金《きん》貨《か》を六十ポンド渡《わた》しました。

ええ、そうですとも、うちの人はだれよりも賢《かしこ》くて、することなすこと、なんでも正しいと、いつもおかみさんが思っていて、そう口にしているなら、いいことがあるものなんですよ。

さあ、これがわたしのお話です。わたしがこの話を聞いたのは小さいころで、あなたもいま聞いたわけですが、よくわかったことでしょうね。「お父さんのすることはいつもよし」って。

それぞれにふさわしい場所

百年以上《いじょう》前のお話です。
森の奥《おく》にひらけた大きな湖のほとりに古い館がありました。ガマやアシなどの生《お》い茂《しげ》る深いお堀《ほり》に囲《かこ》まれ、館の正門へ出る橋ぎわに、古い柳《やなぎ》がお堀《ほり》のアシむらに枝《えだ》を垂《た》らしていました。
角笛がいくつも鳴り、とどろく馬蹄《ばてい》が森の細道を踏《ふ》みしだいて迫《せま》ってきます。橋の上でガチョウ番をしていた少女は、狩《か》りの一団《いちだん》が駆《か》け入《い》る前にあわてて群《む》れを逃《に》がそうとしました。ですがたちまち追いつかれてしまい、橋の欄干柱《らんかんばしら》の高みにあがってわが身をかばうのが精一杯《せいいっぱい》でした。まだ子ども子どもしてはいますがほっそりした美人で、澄《す》んだまなざしの似合《にあ》う優《やさ》しい顔をしています。それなのに、館の主《あるじ》の男爵《だんしゃく》さまはおかまいなしに馬を駆《か》りたて、少女とすれ違《ちが》いざまにムチの柄《え》でわざと胸《むね》を突《つ》いて、お堀《ほり》へ仰向《あおむ》けに叩《たた》き落《お》としました。「それぞれにふさわしい場所がある！」ここぞとばかりに大声で、「おまえにふさわしいのはその泥《どろ》たまりだ！」と決めつけて大笑《おおわら》いします。狩《か》り仲間《なかま》を笑《わら》わせるのが狙《ねら》いですから、仲間《なかま》もげらげら笑《わら》いました。猟犬《りょうけん》どもも一行《いっこう》に負けじとさかんに吠《ほ》えたてます。「肥《こ》えた鳥は静《しず》かに動けぬ」のことわざを地で行くありさまでした。

ですが、肥えた鳥の中身がどうかは神さまがご存《ぞん》じです。あのガチョウ番の少女は落ちる途中《とちゅう》で柳《やなぎ》の垂《しだ》れ枝《えだ》をつかまえて、なんとか泥水《どろみず》には浸《つ》からずにすみました。そうして一行《いっこう》と猟犬《りょうけん》どもをやり過《す》ごしてすぐ登ろうとしたら、あいにく柳《やなぎ》の枝《えだ》がつけ根から折《お》れてしまいました。とっさに伸《の》びてきた力強い男の手がなければ、下のアシむらにはまりこんでいたでしょう。たまたま通りすがりの行商人が少し離《はな》れた場所から見ていて、助けに駆《か》けつけてくれたのでした。

「それぞれにふさわしい場所があるからね」と、さっきの男爵《だんしゃく》さまの言いぐさを茶《ちゃ》化《か》しながら乾《かわ》いた地面に少女を引き上げかたがた、折《お》れた枝《えだ》を元通りにくっつけようとしました。でも、そこは「それぞれにふさわしい場所」とはいかなくて、ゆるい泥《でい》土《ど》にさし直しておきました。「できたら大きくなって、あっちの館にいるやつらの手でいい枝笛《えだぶえ》にしてもらえ」、なろうことなら男爵《だんしゃく》さまと狩《か》り仲間《なかま》がその枝《えだ》でさんざんぶたれれば、ざまあみろと思ったでしょうけど。

行商人はその足で館へ向かいましたが、だからといって広間に通されはしませんでした。身分が違《ちが》います！　かわりに使用人食堂《しょくどう》に通され、そちらで下男や女中たちに商品を見てもらって値段《ねだん》のかけひきに応《おう》じました。大広間からは酒盛《さかも》り中のお客たちのドラ声が歌らしきものをがなりたてています。まあ、自分では絶唱《ぜっしょう》のつもりだったんでしょうね！　主人たちのバカ笑《わら》いに犬が吠《ほ》えつき、酒盛《さかも》りと暴動《ぼうどう》のごった煮《に》状態《じょうたい》です。ワインや強いエールの古酒がジョッキやグラスにどんどん注がれ、犬どもも人間といっしょに飲み食いし、べたべたに汚《よご》れた口を自分の垂《た》れ耳《みみ》できれいに拭《ぬぐ》われてから、鼻面《はなづら》にキスされる犬もいました。

広間からお声がかかり、行商人は商品持参《じさん》でそちらに出向くことになりました。ですが、ただの悪ふざけのカモにしようというので呼《よ》ばれただけです。男爵《だんしゃく》さまたちは酒をしこたま飲んで、分別《ふんべつ》なんかとっくになくしていました。顔を出した行商人にまあ飲め飲めと絡《から》むだけならまだしも、売り物の靴下《くつした》の片方《かたほう》にビールを注いで、杯《さかずき》がわりにそいつを一気飲みしろというのです。それがたいそう面白《おもしろ》がられて、前以上《いじょう》のバカ笑《わら》いがたて続《つづ》けに起きました。あげくに狩《か》り仲間《なかま》全員が持ち農場に家畜《かちく》ぜんぶと小作一同をつけて、待ったなしのカード賭博《とばく》の一本勝負をやるのです。

「それぞれにふさわしい場所がある」行商人は、「ソドムとゴモラの広間」と名づけた場所からようやく逃《に》げだすと、やれありがたやとばかりに言いました。「おれにふさわしいのは、大手を振《ふ》って歩ける道だ。あんな場所はまっぴらごめんだよ」裏木戸《うらきど》から出がけに、ガチョウ番の少女がそっと会釈《えしゃく》して見送ってくれました。

何日も何週間もたち、行商人にお堀《ほり》ばたにさしてもらった柳《やなぎ》の枝《えだ》は、しおれずに青々と芽吹《めぶ》きました。それを見た少女は、根がついたのねと喜《よろこ》び、自分だけの大切な木と思うようになりました。

その少女が思った通りに木はすくすくと育ちましたが、館のほかの部分はどこもかしこもしおれていきました。酒盛《さかも》りや賭《か》けごとざんまいのせいです。このふたつを車の両輪《りょうりん》にすれば、乗った人はだれひとり無事《ぶじ》ではいられません。男爵《だんしゃく》さまは六年も経《た》たずにある金持ちの商人に館を売《う》り渡《わた》し、袋《ふくろ》ひとつと杖《つえ》一本だけの乞食《こじき》になって出て行きました。館を買った商人とはだれあろう、以前《いぜん》に広間でさんざん絡《から》まれたあげくに靴下《くつした》で酒を飲まされた行商人でした！　正直と勤勉《きんべん》が順風満帆《じゅんぷうまんぱん》を呼《よ》びこみ、しがない行商人を館の主《あるじ》にまで押《お》し上《あ》げたのです。ただし、館でのカード賭博《とばく》はこの時から禁止《きんし》されました。

新しい主《あるじ》に言わせれば、「あんなの、ろくでもない本を読むのと変《か》わらん」そうです。

「初《はじ》めて聖書《せいしょ》を見た悪魔《あくま》が、神さまをまねて作ったのがカード遊びだよ」

新しい主《あるじ》は奥方《おくがた》を迎《むか》えましたが、どんな人だと思います？　ずっと心がけのよかった、あのガチョウ番の美少女でした！　元がよいので、身なりを改《あらた》めれば生まれながらのお姫《ひめ》さまで通るほどでした。いっしょになるまでのいきさつですか？　まあ、なにかとせわしい今の時代にいちいちお話ししてたらきりがありませんが、とにかくそうなったのですし、この先にまだ本題が控《ひか》えておりますのでね。

古い館は活気づき、まっとうに暮《く》らせる場所になりました。館の内は母親役の奥方《おくがた》が切《き》り盛《も》りし、外は父親役の主人の采配《さいはい》で、幸運がどんどん転がりこんできました。富《とみ》は富《とみ》を呼《よ》ぶのです。古い館はきれいに塗《ぬ》り直《なお》してすみずみまで掃除《そうじ》され、お堀《ほり》さらいも行《い》き届《とど》いて果樹《かじゅ》が何本も植えられました。床板《ゆかいた》はラードをたっぷり含《ふく》んだように磨《みが》きこまれ、館のどこもかしこも心機《しんき》一転《いってん》といった感じで明るく生《う》まれ変《か》わりました。

冬の夜長ともなれば、奥方《おくがた》が女中たちみんなを広間に呼《よ》び集《あつ》め、じっくり腰《こし》をおろして羊毛や亜麻《あま》を糸につむぎます。そして日曜の夕方には参審官《さんしんかん》さまが自ら聖書《せいしょ》を読み聞かせるのでした。かつての行商人は、晩年《ばんねん》に裁判所《さいばんしょ》の参審官《さんしんかん》という重いお役目についたのです。何人も子どもができ、最高《さいこう》の教育を受けて育ちましたが、どの子も優《ゆう》秀《しゅう》とはいかず――そのへんはよその家と変《か》わりません。

あの柳《やなぎ》の枝《えだ》は館の外でみごとな大木に育ち、自由気ままに枝葉《えだは》を伸《の》ばしました。「これは、うちの家門の象徴《しょうちょう》だよ」老夫婦《ろうふうふ》はそう言うと、わかりのいい子にも、よくない子にも、木のいわれを教え、くれぐれも大切にするんですよと言《い》い含《ふく》めました。

それから百年の月日が流れました。

わたしたちの生きる時代になったのです。かつての湖はただの湿地帯《しっちたい》になり、古い館はあらかた消えうせ、かつての深いお堀《ほり》は、石垣跡《いしがきあと》のそばの細長い池に名残《なごり》をとどめています。それでも、あの堂々《どうどう》たる古い柳《やなぎ》の大木は緑の枝《えだ》を垂《た》らしていました。一門の象徴《しょうちょう》として、生きたお手本として、自然《しぜん》に逆《さか》らわない生き方がどれほど美しいかを身をもって示《しめ》していました。まあ、幹《みき》は裂《さ》けて上から下までまっぷたつですし、度《たび》重《かさ》なる嵐《あらし》でちょっとねじれてはいましたが、まだまだしぶとく立っています。幹《みき》の裂《さ》け目《め》やひびに吹《ふ》きこんだ土から草や花が芽《め》ぶき、てっぺん近くの大きな枝分《えだわ》かれはとりわけにぎやかで、まるで野生のキイチゴやハコベでできた小さな空中庭園のようでした。小さなナナカマドまでしなやかに根づいています。風がアオコを押《お》しやってくれれば暗い水鏡《みずかがみ》にそんな木のたたずまいが映《うつ》りますし、すぐ脇《わき》に森へ続く細道があり、そこから畑をまっすぐつっきって出られます。

　森はずれの見晴らしのよい丘《おか》の上に、贅《ぜい》を尽《つ》くした新しい館が建《た》ちました。窓《まど》ガラスは透明《とうめい》すぎて何もはまっていないみたいです。玄関前《げんかんまえ》の大階段《だいかいだん》はバラやみごとな観葉植物《かんようしょくぶつ》のあずまやと化し、芝生《しばふ》は朝な夕なに葉を一本ずつ手洗《てあら》いしたようにみずみずしく鮮《あざ》やかでした。大広間には美しい絵が何枚《なんまい》も飾《かざ》られ、ひとりでに歩きだしそうな絹張《きぬば》り椅子《いす》やソファ、磨《みが》いた大理石板をはめたテーブルがそこかしこに置《お》かれ、豪《ごう》華《か》なモロッコ革《がわ》に箔押《はくお》し装丁《そうてい》の蔵書《ぞうしょ》も並《なら》んでいます。ここは金も身分もたしかな、れっきとした男爵《だんしゃく》さま一家の住まいです。

　この館のどこを探《さが》しても、ちぐはぐなものはありません。家訓《かくん》はあいかわらず「それぞれにふさわしい場所がある」です。ですから前の館の家宝《かほう》だった絵は古いばかりのがらくた扱《あつか》いされ、まとめて使用人食堂《しょくどう》の廊下《ろうか》に下《さ》げ渡《わた》されました。中に古い肖像画《しょうぞうが》が一対《つい》ありまして、片《かた》や、ピンクの上着にかつらの男性《だんせい》、片《かた》や、高い盛《も》り髪《がみ》に髪粉《かみこ》をあしらい、バラ一輪《りん》を手にした婦人《ふじん》で、どちらの絵を囲む飾《かざ》り枠《わく》も大きな柳編《やなぎあ》みの輪《わ》です。二枚《まい》とも穴《あな》ぼこだらけでした。現《げん》当主の男爵《だんしゃく》さまの子どもたちが、おもちゃの弓矢の的当《まとあ》て遊びにこの老夫婦《ろうふうふ》をよく使ったからです。この絵のふたりこそ、家門の礎《いしずえ》を築《きず》いた参審官《さんしんかん》とその夫人《ふじん》でした。

「でも、ほんとは、うちの数には入れない人たちなんだよ」若《わか》さまのひとりが言いました。「男は行商人、女のほうはガチョウ番だったって！　パパやママとは大違《おおちが》いだ！」

夫妻《ふさい》の肖像画《しょうぞうが》は家訓《かくん》の「それぞれにふさわしい場所がある」に照《て》らせば二束三文《にそくさんもん》のがらくたとされ、当主一家の曽祖父《そうそふ》と曽祖母《そうそぼ》でありながら、使用人食堂《しょくどう》の廊下《ろうか》に追いやられたのです。

さて、この館の家庭教師《きょうし》は田舎牧師《いなかぼくし》の息子《むすこ》でした。ある日、教え子の若《わか》さまがたと、その姉で十五そこそこのお嬢《じょう》さんを連《つ》れて散歩《さんぽ》に出かけ、細道づたいにあの古い柳《やなぎ》へ出ました。お嬢《じょう》さんは道すがら野の花を摘《つ》んで――「それぞれにふさわしい場所がある」――の言葉通りにすばらしい花束《はなたば》を作りました。そうして手を動かしながらもみんなの話に耳を傾《かたむ》け、牧師《ぼくし》の息子《むすこ》が語る自然《しぜん》の力や、偉人《いじん》や女傑《じょけつ》の歴史にすすんで聞き入りました。おだやかな優《やさ》しいお嬢《じょう》さんで、考え方や心ばえに本当の気品があり、何でも自然体《しぜんたい》で受け止めるだけの度量《どりょう》の持ち主でした。

みんなであの古い柳《やなぎ》に立《た》ち寄《よ》ったところで、前に別《べつ》の柳《やなぎ》でやったみたいに枝笛《えだぶえ》を作ってよと末《すえ》っ子《こ》にせがまれて、牧師《ぼくし》の息子《むすこ》が枝《えだ》を折《お》り取《と》りました。

「ああっ、だめ」お嬢《じょう》さんが声をあげて止めましたが、間に合いません。「あれは、うちの名高い由緒《ゆいしょ》のある木なんです！」と説明《せつめい》し、「わたしの大好《だいす》きな木なの。家族には笑《わら》われますけど、かまいません。この木にまつわる古いお話があるんですよ」

それからすっかり話してくれました。あの木のはじまりから古い館のこと、まさにこの場所で行商人とガチョウ番の出会いがあり、のちにふたりでお嬢《じょう》さんの家系《かけい》を興《おこ》したことを。

「すごいんですよ、あのご夫婦《ふうふ》は。みじんも地位《ちい》身分への欲《よく》がなくて！「それぞれにふさわしい場所がある」という金言をずっと守っていらして。ですからお金で地位《ちい》を買うのは自分たちにふさわしくないと思われたのね。男爵《だんしゃく》になったのはその子――わたしの祖父《そふ》の代です。なんでも、とても教養《きょうよう》があったおかげで王子や王女がたにとても気に入られ、王室のパーティには欠《か》かさず呼《よ》ばれたんですって。ほかの家族は大の祖父《そふ》びいきなんですけど、わたしはなんとなく――あの初代《しょだい》のご夫婦《ふうふ》に惹《ひ》かれるみたいです。当時の古い館はきっとわきまえがあって落ち着いた暮《く》らしぶりだったでしょうね。奥方《おくがた》が女中たちみんなと愛用《あいよう》の糸車を回し、老主人《ろうしゅじん》が聖書《せいしょ》の読み聞かせをするんですもの！」

「きっと賢明《けんめい》ですばらしいご夫妻《ふさい》でしょうね」と、牧師《ぼくし》の息子《むすこ》が応《おう》じます。

そうなると、話題はおのずと「貴族《きぞく》と庶民《しょみん》」という方向に流れます。家庭教師《きょうし》の若《わか》者《もの》はとうてい庶民《しょみん》とは思えない見識《けんしき》で、貴族《きぞく》のあるべき理念《りねん》や意義《いぎ》を説《と》きました。

「名門に生まれつくこと自体が幸運ですね。いわば順風満帆《じゅんぷうまんぱん》な未来《みらい》への勢《いきお》いが、自分の血に備《そな》わっているんですから。最上流《さいじょうりゅう》への門戸が開かれる招待状《しょうたいじょう》になる家名を持てるなんて、ありがたいことですよ。貴族《きぞく》とは偉大《いだい》で貴《とうと》い人々という意味のごとく、刻印《こくいん》つきの金貨《きんか》みたいなものです。貴族《きぞく》はみんなろくでもない間抜《まぬ》けばかりだ、そこへいくと貧乏人《びんぼうにん》は下層《かそう》へ行けば行くほど美点や知恵《ちえ》を備《そな》えていると現代《げんだい》では信《しん》じられていて、賛同《さんどう》する詩人もむろん多いですけど、ぼくは違《ちが》うと思いますよ。だって、どこからどこまでバカバカしい絵空事《えそらごと》じゃありませんか。美しさや優《やさ》しさなら上流の方々だってたくさん持ち合わせています。実例《じつれい》ならいくらでもありますよ。ぼくは母からこんな話を聞いたことがあります。

母は以前《いぜん》、町住まいのさる貴族《きぞく》のお屋敷《やしき》に出入りしていましてね。うちの祖母《そぼ》がその奥方《おくがた》さまの乳母《うば》だったご縁《えん》じゃなかったかな。ご当主はもういいお年でしたが、母がお住まいにおじゃま中に、中庭から杖《つえ》をついてくる足の不自由《ふじゆう》なおばあさんに目ざとく気づかれたんですって。そのおばあさんはいつも日曜にやってきて、わずかな施《ほどこ》しをもらっていたそうです。

「ああ！　あのご老体《ろうたい》も苦労《くろう》するなあ！」ご当主はそうおっしゃいました。「歩くのがあんなにきついのか！」母がそのお言葉をはかりかねているうちに、御年《おんとし》七十のご当主はさっさと施《ほどこ》し物《もの》を渡《わた》しに階段《かいだん》をおりていって、歩く苦行を省《はぶ》いてあげたそうです。

まあ、ごく小さなことですが、心の深みから出たその声は、貧者《ひんじゃ》の一灯《いっとう》に等しい真心の発露《はつろ》ですよね。こんなご時世だからこそ、そういうものを詩人は歌うべきではないでしょうか。ためになりますから。人の心を和《なご》ませます。かと思うと、血筋《ちすじ》のいい貴族《きぞく》の生まれを鼻にかけて、これみよがしに通りで暴《あば》れるアラビア馬みたいにふるまったり、同じ部屋に居合《いあ》わせた庶民《しょみん》をバカにして、「なんだ、道ばたから連《つ》れてきたのか！」などと放言したり――そんな腐《くさ》れ貴族《きぞく》はお面のようなものです――古代ギリシアのテスピスが仮面悲劇《かめんひげき》に初《はじ》めて使ったような、ゆがんだ顔の薄《うす》っぺらなお面に過《す》ぎません。どうせすぐに世間の笑《わら》いものにされるのがオチですよ」

牧師《ぼくし》の息子《むすこ》はそんなことを語りました。かなり長い話でしたが、話の合間に枝笛《えだぶえ》もちゃんと仕上げましたよ。

その晩《ばん》は館で大がかりなパーティがあり、近隣《きんりん》からも都からも大勢招《おおぜいまね》かれました。大広間は満員《まんいん》で、洗練《せんれん》された着こなしのご婦人《ふじん》も、全然《ぜんぜん》なってないご婦人《ふじん》もいました。地元の牧師《ぼくし》さんがたは借《か》りてきた猫《ねこ》のようにまとめて隅《すみ》に引っこみ、そろいもそろってお葬式《そうしき》のおつとめ前みたいに、しめやかな顔を突《つ》き合《あ》わせていました。娯楽《ごらく》パーティだったのに、そこだけお通夜《つや》みたいでした。

これからが盛大《せいだい》な音楽会なので、若《わか》さまはついさっき作ってもらったあの枝笛《えだぶえ》を持ってきていました。ところがその笛はちっとも鳴らず、男爵《だんしやく》さまでもだめだったので、こんなの役立たずだということになりました。音楽会の室内楽と歌を大いに楽しんだのはもっぱら演奏者《えんそうしや》たちでしたが――きれいな音楽ではありましたよ。

そこで、あの家庭教師《きようし》にいきなり声をかけてきた人がいました。さる貴族《きぞく》の息子《むすこ》で――とりえは親の名前だけです。「ねえねえ、きみって本職《ほんしよく》の楽師《がくし》なの？」と詰《つ》め寄《よ》り、「枝笛《えだぶえ》を自分で作って吹《ふ》けるんだよね、すごい才能《さいのう》じゃないか！　だったら率先《そつせん》してやってみせてさ、みんなの拍手喝采《はくしゆかつさい》を浴《あ》びるべきだよ！　一発やっちゃえよ、ぼくもせいぜい空気を読むから。逃《に》げたら承知《しようち》しないぞ。そら、そのちっぽけな笛でみんなをうっとりさせてくれよ」

と、あのお堀《ほり》の柳《やなぎ》で作った枝笛《えだぶえ》を渡《わた》してよこし、わざわざ大声でこう宣言《せんげん》しました。これから家庭教師《きようし》の先生が、ソロ演奏《えんそう》で笛の妙技《みようぎ》を見せてくださるそうでーす。

実を言うと家庭教師《きようし》は枝笛《えだぶえ》の名手でしたが、満座《まんざ》で恥《はじ》をかかせようという魂胆《こんたん》が見え見えでしたのでご辞退《じたい》しました。それなのに一同がよってたかって無理強《むりじ》いするものですから、とうとう根負けして笛を構《かま》えました。

あの笛ときたら、風変《ふうが》わりなんてもんじゃありません！　たったひと吹《ふ》きのピイッという音は蒸気《じょうき》エンジンそっくりでしたが、それよりはるかに強い力で館の中庭や庭園を越《こ》え、森を越《こ》えて何マイルも先まで届《とど》きました。音は吹《ふ》きすさぶ風を呼《よ》び、こんな言葉をどなっているようでした。「それぞれにふさわしい場所がある！」

すると、男爵《だんしゃく》さまは大広間から風にさらわれて羊飼《ひつじか》いの小屋へ放り投げられ、あおりで吹《ふ》き飛《と》んだ羊飼《ひつじか》いは――大広間ではありません、そんなお上品な場所にはちょっと――使用人食堂《しょくどう》に落っこちて、生意気な絹靴下《きぬくつした》の使用人どもをクモの子のように追《お》い散《ち》らしました。主人の名前をかさにきてお高くとまった連中《れんちゅう》だけに、そこらの庶民《しょみん》が同じテーブルにいると考えただけでめまいを起こしそうになったのです。

いっぽう、大広間にいたあの若《わか》いお嬢《じょう》さんはテーブルの主人席《せき》に飛《と》ばされました。そこがふさわしかったんですね。家庭教師《きょうし》君はお嬢《じょう》さんの真横に飛《と》ばされ、まるで披《ひ》露宴《ろうえん》の花婿《はなむこ》と花嫁《はなよめ》みたいになりました。国内屈指《くっし》の古いお家柄《いえがら》に生まれた気だてのよい老伯爵《ろうはくしゃく》は、そのままテーブル中央の貴賓《きひん》席《せき》を動きません。枝笛《えだぶえ》はそれぞれにふさわしい場所を公平にあてがったのです。ですが、さっき小ずるく立ち回って笛を吹《ふ》けとあおったドラ息子《むすこ》はまっさかさまに鶏《とり》小屋《ごや》へ飛《と》ばされ――お仲間《なかま》たちも同じです。

笛はその地方の何マイル四方に響《ひび》きわたり、あちこちに奇跡《きせき》を起こしました。さる豪商《ごうしょう》は四頭立ての馬車で家族そろってお出かけ中に、家族もろとも馬車の中から吹《ふ》きさらわれました。こんな一家は馬車の後部につかまる従僕《じゅうぼく》にも値《あたい》しないというわけです。地道な畑仕事よりぼろ儲《もう》けに精《せい》を出し、一代で分不相応《ぶんふそうおう》にのし上がった農民《のうみん》ふたりは天から降《ふ》ってきてドブに落っこちました。

本当に、なんともおっかない笛です。ただし不幸《ふこう》中の幸いにも最初《さいしょ》のひと吹《ふ》きで割《わ》れてしまい、みんながホッとしたことに持ち主のポケットへ逆戻《ぎゃくもど》りしました。「それぞれにふさわしい場所がある」んですね。

翌日《よくじつ》にはだれひとりその一件《けん》に触《ふ》れなくなり、「笛をおさめる」という言い回しが生まれました。すべては元通りです。行商人とガチョウ番を描《えが》いた古い肖像画《しょうぞうが》以外《がい》は。あの二枚《まい》は風に運ばれてきて応接室《おうせつしつ》の壁《かべ》におさまり、名だたる専門家《せんもんか》が昔の大画家の作品だと認《みと》めてくれたおかげで、ていねいに修復《しゅうふく》されてそこに留《とど》まることになりました。そんな値打《ねう》ちものだなんてだれも知らなかったし、描《か》かれたほうもまさかですよね。ともかく特等席《とくとうせき》に飾《かざ》ってもらい、「それぞれにふさわしい場所」に落ち着きました。

みんな、いずれはそうなります。永遠《えいえん》は長いですからね――このお話よりもずっと。

参審官《さんしんかん》ってなんだろう

ニッセ：ドイツから北欧《ほくおう》の裁判《さいばん》は参審制《さんしんせい》といってね。日本と同じ法律の専門家《せんもんか》の裁判官以外《さいばんかんいがい》に、民間《みんかん》出身の参審官《さんしんかん》という裁判官《さいばんかん》がいて、法律家《ほうりつか》一名と参審官《さんしんかん》二名の三名で裁判《さいばん》を担当《たんとう》するんだ。

ノール：法律家《ほうりつか》より参審官《さんしんかん》の意見を通しやすいように、あえて一対二なんだ。法律《ほうりつ》の専門家《せんもんか》に足りない社会常識《じょうしき》や経験《けいけん》や人格《じんかく》を持った人の中から選《えら》ばれるからね。

ニッセ：つまり、それだけ人望《じんぼう》があり、世間から尊敬《そんけい》される良識的《りょうしきてき》な人たちだな、とわかる肩書《かたがき》なんだ。現代《げんだい》では参審員《さんしんいん》と呼《よ》ばれてるよ。

人魚姫《にんぎょひめ》

はるか遠くのその海の水は、美しいヤグルマギクの花びらのように青く、混《ま》じりけのないガラスのように澄《す》みきっています。けれど、そこはとても深くて、どんなに長いいかり綱《づな》を使っても届《とど》きません。先がとがっている塔《とう》をいくつも縦《たて》に重ねないと、海面から海底《かいてい》に届《とど》かないくらいなのです。その海の底《そこ》に、海の民《たみ》がおりました。

海の底《そこ》といっても、ただむきだしの白い砂《すな》があるだけではありません。不思議《ふしぎ》な木や草が生えていて、そのしなやかな葉や茎《くき》は、水がわずかに揺《ゆ》らいだだけで生きているように動きます。大きな魚や小さな魚がその枝《えだ》のあいだをすべるように通《とお》り抜《ぬ》けるさまは、空を飛《と》ぶ鳥たち

にそっくり。そして、海の一番深いところに海の王さまのお城《しろ》がありました。その壁《かべ》は珊瑚《さんご》で、弧《こ》をえがく背《せ》の高い窓《まど》は透明《とうめい》な琥珀《こはく》です。屋根は二枚貝《にまいがい》でできていて、潮《しお》の流れによって開いたり閉《と》じたりします。それはとても美しい屋根でした。というのも、その貝のひとつひとつに輝《かがや》く真珠《しんじゅ》がいくつも入っているからです。そのうちの一番上等な一粒《つぶ》は、お妃《きさき》さまの冠《かんむり》にもふさわしい美しさでした。

海の王さまはもうずいぶん前にお妃《きさき》さまを亡《な》くしていましたが、年老《としお》いた王太后が息子《むすこ》のためにお城《しろ》のなかのことを切《き》り盛《も》りしていました。王太后はかしこい人でしたが、身分の高さを鼻にかけて尾《お》びれに十二個《こ》の牡蠣《かき》を飾《かざ》り、ほかの貴族《きぞく》たちが七個以上《こいじょう》つけることを禁《きん》じていました。それ以外《いがい》の点ではすばらしい女性《じょせい》で、孫娘《まごむすめ》である幼《おさな》いお姫《ひめ》さまたちを大切に世話しておりました。どの娘《むすめ》もとてもかわいらしい六人姉妹《しまい》でしたが、なかでも群《ぐん》を抜《ぬ》いて美しかったのが一番末《すえ》の人魚姫《にんぎょひめ》でした。その肌《はだ》はバラの花びらのように明るく美しく、瞳《ひとみ》は深海のように青く、人魚なので脚《あし》の代わりに魚のような尾《お》びれがついていています。

お姫《ひめ》さまたちが一日中遊んでいるお城《しろ》の大広間には、壁《かべ》から生きた花が生えていました。大きな琥珀《こはく》の窓《まど》は開け放たれていて、お姫《ひめ》さまたちのところに魚がやってきます。それはわたしたらが家の窓《まど》を開けているとツバメが迷《まよ》いこんでくるのに似《に》ていますが、魚たちはまっしぐらにお姫《ひめ》さまたちのところへ行き、手から餌《えさ》をもらったり、なでてもらったりするのでした。

お城《しろ》の前には大きな庭園があり、あざやかな赤や紺色《こんいろ》の木が生えていました。木の実は金のようにきらきらと光り、花は炎《ほのお》のようで、茎《くき》や葉はたえずゆらゆらと動いています。また、地面をおおっているきめ細かい砂《すな》は、硫黄《いおう》の炎《ほのお》のように真っ青でした。不思議《ふしぎ》な青い光があらゆるものを照《て》らしていて、上も下も青い空のようなので、海の底《そこ》というより空中に浮《う》かんでいるみたいです。海が穏《おだ》やかなときには太陽が見えましたが、それは真ん中から光を発する巨大《きょだい》な紫色《むらさきいろ》の花のようでした。

六人姉妹《しまい》にはそれぞれ庭園のなかに自分だけの場所があり、そこでは好《す》きに砂《すな》を掘《ほ》ったり、植物を植えたりできました。クジラの形の花壇《かだん》を作る姫《ひめ》もいれば、人魚の形の花壇《かだん》を作る姫《ひめ》もいます。一番末《すえ》の人魚姫《にんぎょひめ》は太陽のように丸い花壇《かだん》を作り、太陽のように赤く輝《かがや》く花だけを植えました。この姫《ひめ》は少し変《か》わっていて、物静《ものしず》かで考えごとばかりしています。お姉さまたちはみんな難破船《なんぱせん》から見つけてきたいろいろな珍《めずら》しいものを見せびらかしているのに、このお姫《ひめ》さまが気に入っているのは太陽のような真っ赤な花と、美しい白大理石でできたりりしい少年の像《ぞう》だけ。この像《ぞう》はどこかの難破船《なんぱせん》から海の底《そこ》に沈《しず》んだものでした。この人魚姫《にんぎょひめ》はその少年の像《ぞう》の横にバラ色のシダレヤ

ナギを一本植えていたのですが、それはとてもよく育ち、みずみずしい枝《えだ》が青い砂《すな》につくほど垂《た》れ下《さ》がってスミレ色の影《かげ》を投げかけており、その影《かげ》も柳《やなぎ》の枝《えだ》のようにゆらゆらと揺《ゆ》れるので、枝《えだ》の先と木の根がたがいにキスをしてたわむれているようでした。

末《すえ》の人魚姫《にんぎょひめ》は人間界のお話を聞くのが大好《だいす》きで、船や町、人間や動物などの話をおばあさまにせがみました。このお姫《ひめ》さまは地上の花からよい香《かお》りがするのが不思議《ふしぎ》でならず、地上の花が美しいものに思えました。海の底《そこ》の花には香《かお》りがありませんからね。また、森が緑であること、そして地上の枝《えだ》のあいだにいる魚たちがとても大きな声で美しくさえずり、耳に心地《ここち》いいというのも、不思議《ふしぎ》ですてきに感じました。おばあさまは小鳥のことを魚と呼《よ》んだのです。そうしないと、これまで一度も鳥を見たことがない孫娘《まごむすめ》には、きっと何のことかわからなかったでしょう。

「十五歳《さい》になったら」おばあさまは言いました。「海面までのぼっていって、月の光を浴《あ》びながら岩場に座《すわ》り、通りかかる船を眺《なが》めることもできるのですよ。そのときに森や町も見られるわ」

その次の年、一番上のお姉さまが十五歳《さい》になりました。この姉妹《しまい》は全員が一歳違《さいちが》いで生まれていたので、末《すえ》のお姫《ひめ》さまが海の底《そこ》から上がっていって地上の様子を見られるようになるまでには、あと丸五年も待たなければなりません。けれど、お姉さまたちみんなは、その最初《さいしょ》の日に何を見て、何が一番気に入ったかを姉妹《しまい》たちに教えると約束《やくそく》しました。おばあさまの話だけではあきたらず、お姫《ひめ》さまたちにはまだ知りたいことがたくさんあったのです。

とはいえ、海面に上がる日をだれよりも待《ま》ち望《のぞ》んでいたのは、その日を迎《むか》えるまで一番長く待たなければならない、物静《ものしず》かで夢見《ゆめみ》がちな人魚姫《にんぎょひめ》でした。夜に開けた窓《まど》から紺色《こんいろ》の海をたびたび見上げると、そこには魚たちが元気に泳いでいました。また、月や星も見えました。月や星はぼんやりと光っているだけでしたが、水を通して見るほうがわたしたちが見るよりもずっと大きく見えます。暗い雲のようなものがその下を通って、しばらく月や星が見えなくなるとき、末《すえ》のお姫《ひめ》さまはそれが頭上を泳ぐ一頭のクジラか、さもなければ大勢《おおぜい》の人を乗せた船だとわかっていました。けれど、船の人々は、愛《あい》らしい人魚姫《にんぎょひめ》がはるか海の奥《おく》から船の底《そこ》に向かって白い両手をさしのべているとは思ってもみないのでした。

一番上のお姫《ひめ》さまが十五歳《さい》になって海面に上がれるようになりました。戻《もど》ってきたそのお姫《ひめ》さまには話すことが山ほどありましたが、なかでも楽しかったのが、静《しず》かな砂州《さす》に寝《ね》そべって月の光を浴《あ》びながら、海岸近くの大きな町の灯《あか》りが無数《むすう》の星たちのようにきらきらと輝《かがや》くのを見たり、馬車や人々のにぎやかな音や声や音楽を聞いたり、教会の塔《とう》や尖塔《せんとう》を眺《なが》めたり、鐘《かね》の音《ね》に耳を傾《かたむ》けたりしたことだと言いました。

ああ、一番末《すえ》の人魚姫《にんぎょひめ》がこの話をどれほど熱心《ねっしん》に聞いたことか。夜になって、開けた窓《まど》のところに立っては紺色《こんいろ》の海を見上げ、大きな町とそのにぎやかさを思うと、鳴《な》り響《ひび》く鐘《かね》の音《ね》が聞こえてくるような気がするのでした。

その一年後、二番目のお姫《ひめ》さまが海面に上がって思いのままに泳ぎまわれるようになりました。そのお姫《ひめ》さまは日が沈《しず》むのと同時に海面に上がっていき、そのときに見た景色《けしき》がこれまでに見た何よりも美しいと思いました。空一面が金色で、雲の美しさといったら、とても口では言いあらわせないほどだったそうです。バラ色とスミレ色の雲が頭の上をゆっくりと流れていって、白鳥たちの群《む》れが雲よりもはやく、長く白いヴェールのように海の上を太陽のほうに横切っていったので、そのあとを追いかけてみたけれど、太陽が沈《しず》むと海や空からバラ色の輝《かがや》きは消えてしまったのよと言いました。

さらに一年後、三番目のお姫《ひめ》さまの番になりました。そのお姫《ひめ》さまはとても大胆《だいたん》な性格《せいかく》で、海に流れこんでいる大きな川を泳いでのぼっていき、ブドウの木におおわれた美しい緑《みどり》の丘《おか》や、雄大《ゆうだい》な森からのぞくお城《しろ》や家を見ました。鳥たちの歌が聞こえ、降《ふ》り注《そそ》ぐ日の光があまりに温かいので、ほてった顔を冷《ひ》やすためにたびたび水のなか

にもぐらなければなりませんでした。すると、小川で子どもたちが裸《はだか》になって水浴《みずあ》びをしていたので、いっしょに遊びたかったのですが、子どもたちは怯《おび》えて逃《に》げてしまいました。そのとき小さな黒い動物があらわれ、猛烈《もうれつ》な勢《いきお》いで吠《ほ》えたててきたので、怖《こわ》くなって大急ぎで海に逃《に》げ帰《かえ》ってきました。実のところ、その動物は犬だったのですが、このお姫《ひめ》さまはこれまで犬を見たことがなかったのです。ともあれ、三番目のお姫《ひめ》さまは雄大《ゆうだい》な森、緑の丘《おか》、尾《お》びれもないのに泳ぐことができる愛《あい》らしい子どもたちのことが忘《わす》れられませんでした。

ところが、四番目のお姫《ひめ》さまはそれほど大胆《だいたん》ではありませんでした。ですから、沖《おき》のほうにずっといて、そこがどこよりもすてきな場所だったと言いました。うんと遠くまで見渡《みわた》せるし、空は大きなガラスドームのようだったと。船も何艘《そう》か見ましたが、はるか遠くにあって、カモメのようだったそうです。また、いたずら好《ず》きのイルカたちが宙返《ちゅうがえ》りをし、大きなクジラたちが鼻のあなから海水を勢《いきお》いよく吹《ふ》き出《だ》して、たくさんの噴水《ふんすい》に囲《かこ》まれているみたいだったと言うのでした。

五番目のお姫《ひめ》さまの誕生日《たんじょうび》は冬だったので、初《はじ》めて海面に上がったときには、これまでお姉さまたちが見たことのなかったものを見ることができました。緑色の海に浮《う》かぶ大きな氷山です。氷山は真珠《しんじゅ》のようだったけれど、人間が建《た》てる教会の尖塔《せんとう》よりもずっと高くて、とても不思議《ふしぎ》な形をしていて、ダイヤモンドのように光っているのだそうです。五番目のお姫《ひめ》さまが一番大きな氷山に腰《こし》かけて長い髪《かみ》を風になびかせていたら、通りかかった船乗りたちはみな、それを見て怖《こわ》がっていたのですって。

夜になるにつれて空は黒い雲におおわれ、雷《かみなり》が鳴って稲妻《いなずま》が走り、黒い波が大きな氷の塊《かたまり》を持ち上げ、稲妻《いなずま》がそれを照《て》らしました。船という船の帆《ほ》はたたまれ、人々の不安《ふあん》と恐怖《きょうふ》が伝《つた》わってきたそうです。けれど、五番目のお姫《ひめ》さまは漂《ただよ》う氷山に静《しず》かに座《すわ》り、青い稲妻《いなずま》が泡立《あわだ》つ海に向かってジグザグに落ちるのを見守っていたのでした。

どのお姫《ひめ》さまも初《はじ》めて海面に上がったときには、見たことのない美しいものたちに夢中《むちゅう》になりましたが、大人になっていつでも好《す》きなときに上がっていけるようになると、みんな家に帰りたいとばかり考えるようになって、海の上のものや地上のものには無関心《むかんしん》になっていき、ひと月も経《た》つと、なんといっても海の底《そこ》が落ち着くし、一番いいところだと言うのでした。

上から五番目までのお姫《ひめ》さまたちは、夜になるとよく腕《うで》を組んで海面に上がっていきました。どんな人間よりもはるかに美しい声をしているので、嵐《あらし》が吹《ふ》き荒《あ》れて船が難破《なんぱ》しそうなときには、そんな船の前に泳いでいって、海の底《そこ》がどれほどいいところであるかを歌って聞かせ、そこへ行くのを怖《こわ》がらないでと伝《つた》えるのでした。けれど、人間たちは人魚の言葉がわからないので、それを嵐《あらし》の音だとしか思いません。それに、人間たちが海の底《そこ》のすばらしいものを見ることはありませんでした。船が沈《しず》むと人間は溺《おぼ》れ、海の王さまのお城《しろ》に着くころには死んでしまうからです。

お姉さまたちが腕《うで》を組んで海面まで上がっていくとき、末《すえ》のお姫《ひめ》さまはひとり海の底《そこ》で見送りながら、泣《な》きたいような気持ちになるのでした。でも、人魚には涙《なみだ》がないので、よけい苦しいのです。

「ああ、わたしも十五歳《さい》だったら！」末《すえ》のお姫《ひめ》さまは言いました。「地上の世界もそこで暮《く》らす人たちのことも、絶対《ぜったい》に気に入るのに」

そして、とうとう人魚姫《にんぎょひめ》も十五歳《さい》になる日がやってきました。

「これでおまえも一人前ね」王太后であるおばあさまが言いました。「ついていらっしゃい。お姉さまたちのようにきれいにしてあげましょう」おばあさまは、半分は白ユリの花びらで、半分は真珠《しんじゅ》でできた冠《かんむり》を人魚姫《にんぎょひめ》の頭にのせました。それから、孫《まご》娘《むすめ》がお姫《ひめ》さまであることを示《しめ》すために、八つの大きな牡蠣《かき》を尾《お》びれにつけてくれました。

「ものすごく痛《いた》いわ！」人魚姫《にんぎょひめ》は言いました。

「そうよ。美しくあるためには痛《いた》みに耐《た》えなければならないの」おばあさまは言いました。

いえいえ、人魚姫《にんぎょひめ》はそんな飾《かざ》りや重い冠《かんむり》など取りたくてたまらなかったのです。自分の庭にある赤い花のほうがずっと似合《にあ》ったことでしょう。けれど、せっかくつけてもらった飾《かざ》りを変《か》える勇気《ゆうき》はありません。「行ってきます！」人魚姫《にんぎょひめ》はそう言うと、泡《あわ》のように軽《かろ》やかに海のなかをのぼっていきました。

人魚姫《にんぎょひめ》が海から顔を出すと、太陽はちょうど沈《しず》んだところでしたが、雲が赤や金色に輝《かがや》くバラ色の空には星が輝《かがや》き、風は涼《すず》しくおだやかで、海はガラスのように凪《な》いでいました。そばには三本マストの大きな船が浮《う》かんでいます。でも、風がそよとも吹《ふ》かないので帆《ほ》は一枚《まい》しか張《は》られておらず、船乗りたちは甲板《かんぱん》やロープや帆《ほ》に腰《こし》を下ろしていました。船からは音楽や歌が聞こえます。あたりが暗くなると、数えきれないほどの色つきランプが灯《とも》され、まるで世界中の国旗《こっき》が空に浮《う》いているようでした。

船室の窓《まど》のそばまで泳いでいくと、波に持ち上げられたときに船室のガラス越《ご》しに豪華《ごうか》な身なりの人々がたくさん見えました。なかでもりりしいのが若々《わかわか》しい王子さまで、大きな黒い瞳《ひとみ》をしており、せいぜい十六歳《さい》くらいにしか見えません。その日は王子さまの誕生日《たんじょうび》だったので、このようなお祝《いわ》いの催《もよお》しが開かれていたのでした。船乗りたちは甲板《かんぱん》で踊《おど》り、王子さまが甲板《かんぱん》に出てくると数百発もの花火が打ち上げられ、夜空がまるで昼間のように明るくなったので、人魚姫《にんぎょひめ》はおびえて水のなかにもぐりました。

けれど、またすぐに頭を海から出すと、空の星たちが自分の上に降《ふ》ってくるような気がしました。こんな花火を見るのは生まれて初《はじ》めてです！　大きな太陽がぐるぐるまわり、華《はな》やかな火花の魚が青い空を飛《と》び、そのすべてが静《しず》かなガラスのような海に映《うつ》っています。船はまばゆいほどに明るく照《て》らされていたので、小さなロープまで何もかもがはっきりと見えましたし、人はことによく見えました。王子さまのりりしいことといったら！　王子さまがいろいろな人と握手《あくしゅ》したり、上品にほほえんだりしているあいだ、美しい夜空には夢《ゆめ》のような音楽が響《ひび》きわたっていました。

すっかり夜もふけてきましたが、人魚姫《にんぎょひめ》は船やハンサムな王子さまから目を離《はな》すことができませんでした。やがて、色つきのランプの灯《あか》りは消され、打ち上げ花火も大《たい》砲《ほう》も静《しず》かになりました。けれど、深い海からうなるような奇妙《きみょう》な音が聞こえてきて、波があまりにも高く盛《も》り上《あ》がるものですから、人魚姫《にんぎょひめ》は船室のなかまでのぞけるようになったのです。

やがて、船が動きはじめました。次々に帆《ほ》が広げられ、波はますます高くなっていきます。黒雲が集まってきて、遠くで稲妻《いなずま》が光ります。なんと、ひどい嵐《あらし》がやってきたのでした。船乗りたちはあわてててすべての帆《ほ》をたたみました。大きな船は大しけの海に揺《ゆ》られながら全速力で進んでいきます。波が巨大《きょだい》な黒い山のように、マストを砕《くだ》かんばかりの勢《いきお》いでおおいかぶさってきましたが、船は白鳥のように波間をするりと抜《ぬ》け、高くせり上がった波がしらのてっぺんに姿《すがた》をあらわしました。

人魚姫《にんぎょひめ》にとっては見ていて楽しい眺《なが》めなのですが、船乗りたちはそれどころではありません。船はぎしぎしときしみ、激《はげ》しい風に丈夫《じょうぶ》な材木《ざいもく》がたわんで、波が船をのみこみ、メインマストがアシの茎《くき》さながらまっぷたつになりました。船は横倒《よこだお》しになり、船倉《せんそう》に水がどっと流れこんでいきます。

人魚姫《にんぎょひめ》は、こうなっては船に乗っている人たちが危《あぶ》ないとわかりましたし、自分も海に浮《う》かんでいる横材《よこざい》や板に気をつけなければなりませんでした。しばらくは何も見えないくらい真っ暗でしたが、稲妻《いなずま》の閃光《せんこう》があたりを照《て》らしたので、船に乗っている人々の顔の見分けがつきました。だれもがなんとか助かろうと必死《ひっし》です。懸命《けんめい》に王子さまを探《さが》すと、船がまっぷたつに壊《こわ》れたとき、深海へ沈《しず》んでいく王子さまが見えました。初《はじ》めは、王子さまが自分のもとにきてくれると思ってうれしくなりましたが、人間は水のなかでは生きられないのだから、死んでからでないとお父さまのお城《しろ》には来られないのだとすぐに思い出しました。だめ、王子さまを死なせるわけにはいきません！

そこで、人魚姫《にんぎょひめ》は浮《う》かんでいる分厚《ぶあつ》い板や角材《かくざい》に押《お》しつぶされそうになるのもおかまいなしに、海のなかへ飛《と》びこんだのです。波に乗ったり波をかいくぐったりして、ようやく王子さまを見つけました。王子さまはもはや力つき、嵐《あらし》の海を泳ぐ力などありません。腕《うで》も脚《あし》も疲《つか》れ果《は》て、美しい目は閉《と》じたままです。人魚姫《にんぎょひめ》が助けにいかなければ、間違《まちが》いなく死んでいたところでしょう。人魚姫《にんぎょひめ》は王子さまの頭が水面から出るように支《ささ》え、揺《ゆ》れる波に身を任《まか》せました。

あくる朝、嵐《あらし》は過《す》ぎ去《さ》りましたが、船に使われていた板切れ一枚《まい》どこにも見当たりません。のぼってきた太陽は赤くまばゆく、王子さまの頰《ほお》に命を吹《ふ》きこんでくれるようでしたが、その目は閉《と》じたままです。人魚姫《にんぎょひめ》は王子さまのきれいな額《ひたい》に口づけをして、濡《ぬ》れた髪《かみ》をなでつけました。自分の庭にある白大理石の像《ぞう》になんてそっくりなのでしょう。人魚姫《にんぎょひめ》は何度も何度も王子さまに口づけをして、死なないでと祈《いの》りました。

そのとき、前のほうに陸地《りくち》が広がっていて高く青い山が連《つら》なっており、頂《いただき》に白鳥のように白い雪が光っているのが見えました。海岸近くには美しい緑の森があり、その前に教会か修道院《しゅうどういん》のような建物《たてもの》があります。人魚姫《にんぎょひめ》にはどちらかわかりませんでしたが、そんな感じの建物《たてもの》でした。庭にはレモンやオレンジの木が生え、門の前には高いヤシの木々がそびえています。そのあたりの海は小さな入江《いりえ》になっていて、とても深くおだやかでした。人魚姫《にんぎょひめ》はまっすぐ岸に向かって泳いでいくと、きめ細かな白砂《しらすな》が波に洗《あら》われている浜辺《はまべ》にハンサムな王子さまを横たえ、注意深く王子さまの頭を高くして暖《あたた》かな日の光が当たるようにしました。

そのときです、その白い建物《たてもの》のなかでいっせいに鐘《かね》が鳴りはじめたかと思うと、少女たちが庭に出てきました。人魚姫《にんぎょひめ》は沖《おき》のほうへ泳いでいって岩場のかげに隠《かく》れると、髪《かみ》と胸《むね》を海の泡《あわ》でおおって顔だけをのぞかせ、そこから気《き》の毒《どく》な王子さまのところにだれかが来るのを待ちました。

そのうち、ひとりの少女が王子さまの横たわっている場所にやってきました。最初《さいしょ》、その少女はとても怖《こわ》がっている様子でしたが、すぐにほかの人たちを呼《よ》びました。人《にん》魚姫《ぎょひめ》は王子さまが目を覚《さ》まし、まわりにいる人々に笑《わら》いかけるのを見ました。でも、自分にはほほえんでくれません。王子さまはだれが助けてくれたのかを知らないのですからね。人魚姫《にんぎょひめ》は切なくなりました。そして、王子さまがその大きな建物《たてもの》のなかに運びこまれてから、悲しい気持ちで海にもぐり、お父さまのお城《しろ》へと帰っていったのです。

人魚姫《にんぎょひめ》は昔から物静《ものしず》かでよく考えごとをしている娘《むすめ》でしたが、ますますそんなふう

になりました。お姉さまたちは初《はじ》めて海面に上がって何を見たのかとたずねましたが、人魚姫《にんぎょひめ》はいっさい語りません。朝も晩《ばん》も何度となく王子さまを横たえた場所に行き、庭の果物《くだもの》が熟《じゅく》して摘《つ》み取《と》られる様子や、高い山の上の雪が溶《と》けるところは見ましたが、王子さまの姿《すがた》を見ることはありませんでした。そして、家に帰るたび、いっそう悲しい気持ちになるのでした。

　人魚姫《にんぎょひめ》にとって唯一《ゆいいつ》のなぐさめは、自分の小さな庭で王子さまにそっくりな大理石像《ぞう》を抱《だ》きしめることでした。けれど、花の世話はしなくなり、庭は荒《あ》れ放題《ほうだい》になりました。通り道にも植物がはびこり、長い茎《くき》や葉が木の枝《えだ》に巻《ま》きついて、庭はすっかり暗くなってしまいました。

　人魚姫《にんぎょひめ》がついに耐《た》えられなくなってつらい気持ちをお姉さまのひとりに打ち明けると、そのお姉さまはもちろんほかの姉妹《しまい》にもそのことを話しました。お姉さまたちと、お姉さまから話を聞いた仲《なか》のいい何人かの人魚だけがこの秘密《ひみつ》を知っており、そのなかに王子さまがどこのだれであるかや、王子さまの国がどこにあるかを教えられる者がいました。その人魚も船の上のお祝《いわ》いを見ていたのです。

「さあ行きましょう！」お姉さまたちは人魚姫《にんぎょひめ》にそう声をかけると、腕《うで》を組み長い横一列になって海面へ上がっていき、王子さまのお城《しろ》の前に出ました。それはまばゆい黄色の石造《いしづく》りで、幅《はば》の広い大理石の階段《かいだん》がついており、そのうちのひとつは海まで続《つづ》いていました。金箔《きんぱく》を貼《は》ったみごとなドームが屋根をおおい、建物《たてもの》にぐるりとめぐらされている柱つきの廊下《ろうか》には生きているような大理石像《ぞう》が立っています。高い窓《まど》の透明《とうめい》なガラス越《ご》しに、豪華《ごうか》な大広間が見えました。そこには高価《こうか》そうな絹《きぬ》のカーテンが吊《つ》るされ、美しいタペストリーが飾《かざ》られていて、どの壁《かべ》にもみごとな絵がかけてありました。一番大きな広間の中央には大きな噴水《ふんすい》があって、水が吹《ふ》き出《だ》していました。その水は天井《てんじょう》のガラスのドームに届《とど》きそうなほど高く吹《ふ》き上《あ》がっており、日の光がガラス越《ご》しに噴水《ふんすい》や、とても大きな植木鉢《うえきばち》に植えられた美しい植物たちを照《て》らしていました。

こうして王子さまの住まいを知った人魚姫《にんぎょひめ》は、夕方といわず夜といわずここにやってくるようになりました。だれよりも岸近くまで泳いでいきましたし、立派《りっぱ》な大理石のテラスの長い影《かげ》が水面に映《うつ》っているところまで狭《せま》い水路を入っていくこともありました。そこで人魚はじっと座《すわ》ったまま、ひとりきりで明るい月の光を浴《あ》びている王子さまを見つめるのでした。

音楽が流れ、旗《はた》がたなびく立派《りっぱ》な船で幾晩《いくばん》となく海に出ていく王子さまの姿《すがた》も、何度も見ました。青々とした茂《しげ》みのかげからそれを見つめる人魚姫《にんぎょひめ》の長いプラチナ色のヴェールが風に吹《ふ》き上《あ》げられたとき、たまたまそれを見た人々は、翼《つばさ》を広げた白鳥だと思うのでした。

また、夜にたいまつの灯《あか》りで漁《りょう》をしている漁師《りょうし》たちが王子さまのやさしさをほめているのを何度も耳にした人魚姫《にんぎょひめ》は、波間で意識《いしき》を失《うしな》って漂《ただよ》っていた王子さまの命を救《すく》ってほんとうによかったと思いました。そして、胸《むね》にそっと抱《だ》いた王子さまの頭の重みや、どれだけ愛《あい》をこめて王子さまに口づけしたかを思っては、王子さまはそのことを何も知らないし、夢《ゆめ》に見ることさえないのだと思い出すのでした。

人魚姫《にんぎょひめ》はいっそう王子さまを愛《あい》するようになり、人間たちと暮《く》らしたいと願《ねが》うようになりました。人魚姫《にんぎょひめ》には人間の世界のほうが、人魚の世界よりもずっと大きいように思えたからです。人間は大きな船に乗って航海《こうかい》できるし、雲よりも高い山に登ることもできます。おまけに、人間たちが持っている土地は森や野原まで続《つづ》いていて、人《にん》魚姫《ぎょひめ》には見えないかなたまであるのです。人魚姫《にんぎょひめ》が知りたいことはまだたくさんありましたが、お姉さまたちはそのすべての質問《しつもん》に答えることはできませんでした。そこで、人魚姫《にんぎょひめ》はおばあさまにたずねました。おばあさまは地上のことをとてもよく知っていて、そこを「海の上の国々」と呼《よ》んでいました。

「溺《おぼ》れ死《じ》にしなかった人間たちは」人魚姫《にんぎょひめ》は言いました。「永遠《えいえん》に生きられるの？

海のなかのわたしたちとは違《ちが》って死ぬことはないの？」

「そんなことはないわ」おばあさまは言いました。「人間たちも死ぬし、その一生はわたしたちよりも短いのよ。わたしたちは三百歳《さい》まで生きられるけれど、死ぬと海の泡《あわ》になって消え、お墓《はか》もない。わたしたちには永遠《えいえん》の魂《たましい》はないし、生まれ変《か》わることもない。一度、刈《か》られてしまったら、もう二度と育つことはできない緑のイグサのようにね。でも、人間には永遠《えいえん》に生《い》き続《つづ》ける魂《たましい》というものがあるわ。これは肉体が滅《ほろ》びたあとも生《い》き続《つづ》け、澄《す》んだ空の輝《かがや》く星たちのところまでのぼっていくの。わたしたちが水面から顔を出したときに海の上の国々を見るように、人間たちはわたしたちがけっして見ることのない未知《みち》の美しい領域《りょういき》へとのぼっていくのよ」

「どうしてわたしたちには永遠《えいえん》の魂《たましい》がないの？」人魚姫《にんぎょひめ》は悲しそうにたずねました。「たった一日、人間になり、そのあと天の国に行けるなら、喜《よろこ》んで命をさし出すのに」

「そんなことを考えるものじゃありません」おばあさまは言いました。「わたしたちは地上の人間たちよりもずっと幸せでよい暮《く》らしをしているのよ」

「じゃあ、わたしは死んで海の泡《あわ》になり、波の音楽も聞けず、美しい花々や赤い太陽も見られなくなるのね。永遠《えいえん》の魂《たましい》を手に入れる方法《ほうほう》はないの？」

「ないわけじゃないわ」おばあさまは言いました。「人間がおまえのことを心から愛《あい》し、自分の両親よりもおまえのことを大切に思うならね。そして、その人間がおまえに夢中《むちゅう》になり、結婚式《けっこんしき》で永遠《えいえん》の愛《あい》を誓《ちか》うなら、そのとき相手の魂《たましい》が体に流れこんできて、おまえにも人間界の幸福が味わえるようになる。つまり、結婚《けっこん》相手の男はおまえに魂《たましい》を分け与《わあた》え、自分の魂《たましい》も失《うしな》わずにいられるの。でも、そんなことは起こりっこないわ！　海の底《そこ》では何よりも美しいと考えられている尾《お》びれのことを、人間たちは醜《みにく》いと思っているの。人間はものを知りませんからね。地上で脚《あし》と呼《よ》ばれている二本の不格好《ぶかっこう》な支《ささ》えが必要《ひつよう》で、それがないと美しいとは見なされないのだから」

人魚姫《にんぎょひめ》はため息をついて、自分の尾《お》びれを悲しげに見つめました。

「くよくよしては、いけないわ！」おばあさまは言いました。「せっかく三百年も生きるのだから、明るく陽気に暮《く》らさないとね！　そして、そのあとは安らかに眠《ねむ》ればいいの。さあ、今晩《こんばん》はお城《しろ》で舞踏会《ぶとうかい》よ」

それはけっして地上では見られないすばらしい眺《なが》めでした。大広間の壁《かべ》と天井《てんじょう》は分《ぶ》厚《あつ》くて透明《とうめい》なガラスでできています。わきには数百はあろうかという大きな赤や緑の二枚貝《にまいがい》が青い炎《ほのお》を持ってずらりと並《なら》んでおり、部屋全体だけでなく、ガラスの壁越《かべご》しに外の海も明るく照《て》らしていました。また、ガラスの外では大きいのやら小さいのやら、数えきれないほどの魚たちが泳いでいるのが見えます。紫色《むらさきいろ》に輝《かがや》くウロコの魚もいれば、銀や金に光っているのもいます。大広間の中央には大きな川が流れていて、そのなかで海の民《たみ》の男女が自分たちの美しい歌声にあわせて踊《おど》るのですが、人間にはこれほど美しい声を持つ者はいません。人魚姫《にんぎょひめ》はだれよりも愛《あい》らしい声で歌い、拍手《はくしゅ》喝采《かっさい》を浴《あ》びました。そのとき、人魚姫《にんぎょひめ》は自分の声は陸《りく》と海で一番美しいのだと思ってうれしくなりましたが、すぐにまた地上の世界のことを考えはじめました。人魚姫《にんぎょひめ》にはりりしい王子さまのことや、永遠《えいえん》の魂《たましい》を持たない悲しさを忘《わす》れることができなかったのです。ですから、にぎやかで陽気なお父さまのお城《しろ》をそっと抜《ぬ》け出《だ》し、自分の庭にしょんぼりと座《すわ》っていました。

そのとき突然《とつぜん》、角笛の音が聞こえてきて、人魚姫《にんぎょひめ》はこう思いました。「いま、王子さまは船で海の上にいるんだわ。わたしは王子さまのことをお父さまやお母さまより愛《あい》しているし、王子さまになら、自分の人生を喜《よろこ》んでゆだねられる。永遠《えいえん》の魂《たましい》と王子さまを手に入れるためなら、なんだってやるわ。お姉さまたちがお父さまのお城《しろ》で踊《おど》っているあいだに、海の魔女《まじょ》に会いにいこう。これまではあの魔女《まじょ》のことが怖《こわ》かったけれど、ひょっとしたら力になってくれるかもしれない」

こうして、人魚姫《にんぎょひめ》は自分の庭を出て、魔女《まじょ》の住む渦潮《うずしお》がごうごうと音を立てるほうへ向かいました。そちらへ行くのはこれが初《はじ》めてでしたが、そこには花も海藻《かいそう》も生えておらず、ただむきだしの灰色の砂が渦潮まで続いていて、風車の車輪《しゃりん》のように渦巻《うずま》く水が、あらゆるものを奥深《おくふか》くへと引きずりこんでいます。魔女《まじょ》のところへ行くには、その不気味《ぶきみ》な渦潮《うずしお》を通《とお》り抜《ぬ》けなくてはなりませんでした。そこに至《いた》るただひとつの長い道は、泡立《あわだ》つ泥《どろ》の上に伸《の》びており、魔女《まじょ》はそれを泥炭《でいたん》の沼《ぬま》と呼《よ》んでいました。魔女《まじょ》の家はその先の奇妙《きみょう》な森のなかにあるのですが、なぜ奇妙《きみょう》かというと、木も茂《しげ》みもすべて半分動物で半分植物のポリプという刺胞《しほう》動物で、地面から生えている百の頭を持つ蛇《へび》のようだったからです。枝《えだ》はどれもぞもぞ動くイモムシのような指がついているぬるぬるした腕《うで》で、根のところから一番上の枝《えだ》まで、節《ふし》がすべて動きます。そして、海のなかで手に触《ふ》れたものはなんであれがっちりつかんで、けっして放しません。人魚姫《にんぎょひめ》はびくびくしながらその前で止まりました。不安《ふあん》で心臓《しんぞう》の鼓動《こどう》が速くなり、引き返そうかと思いましたが、王子さまと人間の永遠《えいえん》の魂《たましい》のことを思って勇気《ゆうき》を奮《ふる》い起《お》こしました。人魚姫《にんぎょひめ》は長くたなびく髪《かみ》をねじって頭に巻《ま》きつけました。ポリプに髪《かみ》をつかまれないようにです。そして、胸《むね》の前で両手を組み合わせると、魚のようにすばやく水のなかを進んで、不気味《ぶきみ》なポリプの前を通りすぎたのですが、ポリプはそのあと、くねくねした腕《うで》や指を伸《の》ばしてきていました。人魚姫《にんぎょひめ》はそのひとつひとつが何かをつかみ、数えきれないほどの手錠《てじょう》のようにそれをがっちりと抱《かか》えこんでいるのを見ました。海で死んで底《そこ》に沈《しず》んだ人間たちの真っ白な骨《ほね》を握《にぎ》っている腕《うで》もあれば、船の舵《かじ》や船乗りが使った収納箱《しゅうのうばこ》、陸《りく》の動物の骨《ほね》、つかまえて絞《し》め殺《ころ》した小さな人魚を抱《かか》えている腕《うで》もあります。その人魚の姿《すがた》に、人魚姫《にんぎょひめ》は何よりも震《ふる》え上《あ》がったのでした。

人魚姫《にんぎょひめ》が森のなかの大きな沼地《ぬまち》のようなところにやってくると、太った大きな水蛇《みずへび》たちがあたりをくねくねと動きまわり、その醜《みにく》い黄色い腹《はら》を見せていました。その場所の真ん中には、海で死んだ人間たちの骨《ほね》でできた一軒《けん》の家が建《た》っていて、わたしたちが小さなカナリアに砂糖《さとう》をやるように、海の魔女《まじょ》が座《すわ》って一匹《ぴき》のヒキガエルに口うつしで餌《えさ》をやっていました。それに、醜《みにく》い太った水蛇《みずへび》たちのことをわたしのヒヨコちゃんたちと呼《よ》び、胸《むね》の上を自由にはいまわらせているのです。

「おまえの望《のぞ》みはお見通しさ！」海の魔女《まじょ》は言いました。「まったく愚《おろ》かな娘《むすめ》だよ！でもまあ、好《す》きにするがいいさ。どうせ不幸《ふこう》になるだろうけどね、人魚姫《にんぎょひめ》ちゃん！おまえは尾《お》びれの代わりに、人間たちが歩くのに使っている二本の木の幹《みき》みたいなのがほしいんだろう。王子が好《す》きになってくれたら、おまえは王子と永遠《えいえん》の魂《たましい》が手に入るかもしれないものねえ」そう言うと海の魔女《まじょ》はぞっとするような大声で笑《わら》ったので、ヒキガエルと水蛇《みずへび》たちは地面に落ちてじたばたしています。

「それにしても、ちょうどいいときに来たもんだ」魔女《まじょ》は続《つづ》けました。「もし明日の日の出よりもあとに来てたら、一年待ってもらわなきゃならないところだったよ。飲み薬を作ってやるから、日の出前に浜辺《はまべ》まで泳いでいって、そこに座《すわ》ってお飲み。そうすれば、尾《お》びれがふたつに割《わ》れて縮《ちぢ》んでいき、人間たちが脚《あし》と呼《よ》んでいるものになる。ただし、それは鋭《するど》いナイフで切《き》り裂《さ》かれるような痛《いた》みだ。おまえを見た者はみな、これまで見たこともないほど美しいと言うだろう。気品は失《うしな》われないし、軽《かろ》やかな身のこなしで踊《おど》ることもできる。だが、ひと足ごとに、鋭《するど》いナイフの上を歩き血が噴《ふ》き出《だ》すような痛《いた》みをともなうんだ。それでも、おまえはその痛《いた》みを引き受けるのかい？　あたしの力を借《か》りたいのかい？」

「はい」人魚姫《にんぎょひめ》は震《ふる》える声でそう答えながら、王子さまと永遠《えいえん》の魂《たましい》のことを考えました。

「だが、忘《わす》れるんじゃないよ！」魔女《まじょ》が言いました。「いったん人間の姿《すがた》になってしまったら、二度と人魚には戻《もど》れない。もう二度と、海にもぐって姉さんたちのところや、父さんのお城《しろ》に行くことはできないんだ。それに、王子から愛《あい》され、王子が両親のことさえ忘《わす》れるほどおまえを愛《あい》し、正式な奥《おく》さんにしなけりゃ、永遠《えいえん》の魂《たましい》を手に入れることはできない。王子が別《べつ》の人間と結婚《けっこん》したら、その次の朝、おまえの心は引《ひ》き裂《さ》かれ、水の泡《あわ》になってしまうんだよ」

「それでもかまいません」人魚姫《にんぎょひめ》は死人のように真っ青になって言いました。

「それから、おまえはあたしにお礼をしなくちゃならない」魔女《まじょ》は続《つづ》けました。「お礼は高くつくよ。おまえの声は海の底《そこ》で暮《く》らすだれよりも美しい。おまえはきっとその声で王子をとりこにするつもりなんだろう。だが、その声はあたしがもらう。貴重《きちょう》な薬と引きかえに、おまえが持っている一番いいものをもらうのさ。だって、あたしは自分の血をその薬に入れなくちゃならないんだからね。そのせいで、飲み薬はとびきり苦くなるんだよ」

「でも、あなたに声をあげてしまったら」人魚姫《にんぎょひめ》は言いました。「わたしには何が残《のこ》るの？」

「その愛《あい》らしい姿《すがた》があるじゃないか」と魔女《まじょ》。「上品な物腰《ものごし》に、表情《ひょうじょう》豊《ゆた》かな目もある！ それだけありゃ、ひとりの男の心をつかむことぐらいわけないだろう。それとも、怖気《おじけ》づいたのかい？ さあ、その小さな舌《した》をお出し。あたしがちょん切ってやろう。そうすりゃ、おまえはよく効《き》く飲み薬が手に入るんだよ」

「どうぞ切ってください」人魚姫《にんぎょひめ》は言いました。

魔女《まじょ》は魔法《まほう》の薬作りのために大鍋《おおなべ》を火にかけました。「清潔《せいけつ》第一だからね」魔女《まじょ》は束《たば》にして結《ゆ》わえてあった蛇《へび》たちでその大鍋《おおなべ》をごしごしこすりました。それから自分の胸《むね》をひっかいて黒い血を大鍋《おおなべ》のなかにポタポタたらすと、奇妙《きみょう》な形の蒸気《じょうき》が立ちのぼりました。ぞっとするような眺《なが》めです。それに、魔女《まじょ》が何やら新しい材料《ざいりょう》をその大鍋《おおなべ》のなかに放りこんでそれが煮《に》えるたび、ワニがめそめそ泣《な》いているような音がします。こうして、ようやく完成《かんせい》した飲み薬は、澄《す》んだ水のように見えました。

「さあ、できた！」魔女《まじょ》はそう言うと、人魚姫《にんぎょひめ》の舌《した》を切り落としました。これで人《にん》魚姫《ぎょひめ》は声を失《うしな》い、歌うことも話すこともできなくなったのです。

「森を通って帰るときポリプにつかまったら」魔女《まじょ》は言いました。「この飲み薬を一滴《てき》かけてやるといい。そうすりゃ、ポリプの腕《うで》や指はばらばらになって飛《と》び散《ち》るよ！」けれど、人魚姫《にんぎょひめ》がそんなことをする必要《ひつよう》はありませんでした。ポリプたちは人魚姫《にんぎょひめ》の手のなかで星のように輝《かがや》くその飲み薬を見るや、ぎょっとして身を引いたからです。というわけで、人魚姫《にんぎょひめ》は森も沼地《ぬまち》もごうごうと音を立てる渦潮《うずしお》も、すぐに通《とお》り抜《ぬ》けることができました。

お父さまのお城《しろ》が見えました。大広間の灯《あか》りはひとつ残《のこ》らず消え、みんな眠《ねむ》っていましたが、人魚姫《にんぎょひめ》は中に入りませんでした。いまや声を失《うしな》っており、永遠《えいえん》にここを出ていくところだからです。悲しみで胸《むね》が張《は》り裂《さ》けそうになりながらこっそり庭園に入っていくと、お姉さまたちひとりひとりの花壇《かだん》から一本ずつ花を摘《つ》みました。そして、何度もお城《しろ》に投げキッスを送り、暗い海を上がっていきました。

日の出前に王子さまのお城《しろ》が見えるところまでやってくると、豪華《ごうか》な大理石の階段《かいだん》に泳ぎつきました。月が明るく冴《さ》え冴《ざ》えと輝《かがや》いています。人魚姫《にんぎょひめ》は苦くて舌《した》を刺《さ》すような飲み薬を飲み、体を両刃《りょうば》のナイフで切《き》り裂《さ》かれているような痛《いた》みで気を失《うしな》って死んだように倒《たお》れました。

太陽が海を照《て》らすころに目を覚《さ》まし、刺《さ》されるような痛《いた》みを感じましたが、目の前にはあのりりしい王子さまが立っていました。王子さまの黒い目で見つめられて人《にん》魚姫《ぎょひめ》が顔を伏《ふ》せると、尾《お》びれが人間の娘《むすめ》のようなかわいらしい小さな白い足に変《か》わっています。けれど、何も着ていなかったので、長

い髪《かみ》で体をおおいました。

王子さまは、きみはだれなの、どうやってここに来たのとたずねましたが、人魚姫《にんぎょひめ》は愛《あい》をこめて、でも悲しそうに深く青い目で見つめかえすだけです。だって、話せないのですものね。すると、王子さまは人魚姫《にんぎょひめ》の手をとり、お城《しろ》の中に連《つ》れていきました。その一歩一歩が、魔女《まじょ》から聞かされていたとおり、とがった針《はり》か鋭《するど》いナイフの上を歩くようでしたが、人魚姫《にんぎょひめ》は喜《よろこ》んでそれに耐《た》え、王子さまの隣《となり》を石けんの泡《あわ》のように軽《かろ》やかに歩きました。そして、王子さまやほかの人々はみな、人魚姫《にんぎょひめ》の気品のある身のこなしに感心したのでした。

絹《きぬ》とモスリンのすばらしいドレスを着た人魚姫《にんぎょひめ》は、お城《しろ》で一番の美しさでした。とはいえ、口がきけず、歌うことも話すこともできません。絹《きぬ》と金に身を包《つつ》んだ美しい奴隷《どれい》たちが、王子さまや王さまとお妃《きさき》さまの前へ歌を披露《ひろう》しにきたとき、とびきり歌のうまい者がいて、王子さまはその奴隷《どれい》にほほえみかけたり拍手《はくしゅ》をしたりしました。すると、人魚姫《にんぎょひめ》はとても悲しくなってしまいました。以前《いぜん》の自分のほうがずっと美しく歌えたことがわかっていたからです。

「ああ、わたしが王子さまのおそばにいるために声を失《うしな》ったことを、ご存《ぞん》じならいいのに」人魚姫《にんぎょひめ》はそんなふうに思いました。

次に、奴隷《どれい》たちは美しい音楽に合わせて軽《かろ》やかに、優雅《ゆうが》に踊《おど》りはじめました。そこで、人魚姫《にんぎょひめ》も白く美しい両腕《りょううで》を上げて、つま先立ちになって床《ゆか》をすべるように進み、これまでだれもしたことがないような踊《おど》りを始めました。その仕草のひとつひとつから人魚姫《にんぎょひめ》の美しさが輝《かがや》きだすようです。その目は、奴隷《どれい》の娘《むすめ》たちの歌よりもずっと心に深く語りかけてくるようでした。

その場にいただれもが、なかでも王子さまはすっかり魅《み》せられてしまい、人魚姫《にんぎょひめ》のことをぼくの小さなみなしごちゃんと呼《よ》ぶようになりました。人魚姫《にんぎょひめ》は何度も何度も踊《おど》りましたが、足が地面に触《ふ》れるたびに鋭《するど》いナイフを踏《ふ》んでいるように痛《いた》みました。王子さまはずっとぼくのそばにいるといいよと言って、自分の部屋の扉《とびら》近くにあるベルベットのクッションに人魚姫《にんぎょひめ》を寝《ね》かせることにしたのでした。

王子さまはいっしょに乗馬に行けるよう、人魚姫《にんぎょひめ》のために従者用《じゅうしゃ》の乗馬服を作らせました。ふたりが馬で行く香《かお》りのよい森のなかでは、緑の枝《えだ》が人魚姫《にんぎょひめ》の肩《かた》をなで、小鳥たちが新緑のあいだで歌っていました。

人魚姫《にんぎょひめ》は王子さまといっしょに高い山にも登り、そのきゃしゃな足にはた目にもわかるほど血が流れても笑顔《えがお》で王子さまのお供《とも》をし、外国へ飛《と》んでいく鳥の群《む》れのように下のほうを流れる雲を見つめました。

夜、王子さまのお城《しろ》の人たちが寝静《ねしず》まると、人魚姫《にんぎょひめ》は幅広《はばひろ》い大理石の階段《かいだん》によく出ていきました。冷《つめ》たい海の水のなかに立つと、燃《も》えるように痛《いた》む足がひんやりとして気持ちよく、海の底《そこ》にいるみんなのことが思い出されました。

ある晩《ばん》、お姉さまたちが腕《うで》を組んで水面に上がってきて、泳ぎまわりながら悲しそうに歌っていました。人魚姫《にんぎょひめ》が手招《てまね》きをすると、お姉さまたちは妹に気づき、みんなあなたがいないことをとても悲しんでいるのよと言いました。それからというもの、お姉さまたちは夜になると妹に会いにくるようになり、ある晩《ばん》などは沖《おき》のほうに、もう長いこと海の上に出てきたことのないおばあさまの姿《すがた》や、冠《かんむり》をかぶったお父さまの姿《すがた》までありました。ふたりとも人魚姫《にんぎょひめ》のほうに手を伸《の》ばしていましたが、お姉さまたちのように陸地《りくち》のそばまで来ようとはしませんでした。

さて、王子さまは口を追うごとに人魚姫《にんぎょひめ》を好《す》きになっていきました。とはいえ、素直で愛《あい》らしい子どもをかわいがるようなもので、妃《きさき》にしようなどとはまったく考えていませんでした。でも、王子さまの妻《つま》になれなければ、人魚姫《にんぎょひめ》は永遠《えいえん》の魂《たましい》を手に入れることができず、王子さまが結婚《けっこん》したあくる朝には海の泡《あわ》になってしまうのです。

「わたしのことをだれよりも愛《あい》してはくださらないのですか？」王子さまの腕《うで》に抱《だ》かれ、美しい額《ひたい》に口づけされるとき、人魚姫《にんぎょひめ》の目はそう訴《うった》えているようでした。

「そうだね、ぼくはきみが大好《だいす》きだよ」王子さまは言いました。「きみはだれよりもやさしいからね。心からぼくのことを思ってくれるし、ぼくが以前《いぜん》会った、おそらくもう二度と会えない娘《むすめ》さんに似《に》ているんだ。乗っていた船が難破《なんぱ》したとき、ぼくは波に運ばれてある修道院《しゅうどういん》の近くの浜辺《はまべ》に打ち上げられたんだけど、そこで神さまに仕える若《わか》い女性《じょせい》たち何人かが付《つ》き添《そ》ってくれたんだ。そのなかで一番年下の娘《むすめ》さんが、ぼくを浜辺《はまべ》で見つけてくれた命の恩人《おんじん》なんだよ。その人には二度しか会ったことがないんだけどね。ぼくが愛《あい》せるのはこの世にその人だけなんだ。ただ、きみはその人にそっくりだし、きみといるとその人のことを忘《わす》れそうになる。その人は修道女《しゅうどうじょ》だけど、うれしいことにきみがぼくのもとに遣《つか》わされてきた。ぼくたちはずっといっしょに暮《く》らそうじゃないか」

「ああ、王子さまは命を救《すく》ったのがわたしだと知らないのだわ」人魚姫《にんぎょひめ》はそう思いました。「わたしが王子さまを抱《かか》えて海を泳いで、教会のある森の近くまで運び、海の泡《あわ》に隠《かく》れながら、だれかが王子さまのところに来てくれるのを見守っていたのに。王子さまがわたしよりも愛《あい》しているその美しい娘《むすめ》さんのことだって見たのよ」人魚姫《にんぎょひめ》は深々とため息をつきました。声をあげて泣《な》くことができないからです。「でも、あの娘《むすめ》さんは修道女《しゅうどうじょ》だって王子さまは言ったわね。それなら、あの人が教会の外に出てくることはないし、王子さまとまた会うこともないでしょう。けれど、わたしは王子さまのおそばにいて、毎日お会いしているもの。これからもずっと王子さまにつくして、王子さまを愛《あい》し、自分の人生を捧《ささ》げるわ」

ところが、しばらくすると王子さまは近くの国の美しいお姫《ひめ》さまと結婚《けっこん》することになったので、立派《りっぱ》な船の準備《じゅんび》をしているのだという噂《うわさ》が広まりました。王子さまが近くにある王国を訪《おとず》れるのは、じつはお姫《ひめ》さまに会うためであり、大勢《おおぜい》の家来や召使《めしつか》いたちを連《つ》れていくというのです。でも、人魚姫《にんぎょひめ》はかぶりを振《ふ》ってにっこりしました。人魚姫《にんぎょひめ》にはほかの人たちよりはるかに王子さまの考えをよくわかっていたからです。

「行かないわけにはいかないんだよ」と王子さまは人魚姫《にんぎょひめ》に言いました。「きれいなお姫《ひめ》さまに会わなければならないんだ。父上と母上がそう望《のぞ》んでいるからね。だけど、父上も母上もお姫《ひめ》さまを花嫁《はなよめ》として連《つ》れ帰《かえ》ってくることを無理《むり》じいしたりはしないよ。ぼくはお姫《ひめ》さまを愛《あい》せっこないからね。だって、その人はきみによく似《に》た修道院《しゅうどういん》の娘《むすめ》さんじゃないんだから。いつか花嫁《はなよめ》を選《えら》ぶときがきたら、ぼくはきみを選《えら》ぶよ。瞳《ひとみ》でものを言うみなしごちゃん」そう言って王子さまは人魚姫《にんぎょひめ》の赤い唇《くちびる》に口づけをし、長い髪《かみ》に手をすべらせ、胸《むね》に頭をあずけました。ですから、人魚姫《にんぎょひめ》は次第《しだい》に人間としての幸せや永遠《えいえん》の魂《たましい》を夢見《ゆめみ》るようになったのでした。

「海が怖《こわ》くないのかい？　口のきけないぼくのみなしごちゃん」王子さまが人魚姫《にんぎょひめ》にそう言ったのは、近くの王国へ向かう豪華《ごうか》な船の上に立っていたときのことでした。王子さまが嵐《あらし》のこと、凪《な》ぎのこと、深海にいる奇妙《きみょう》な魚のこと、潜水夫《せんすいふ》が海の底《そこ》で見た不思議《ふしぎ》なものたちのことについて語るのを、人魚姫《にんぎょひめ》はにこにこして聞いていました。海の底《そこ》についてはだれよりもよく知っていましたからね。

くっきりと澄《す》んだ月の光のなか、舵取《かじと》り以外《いがい》の全員が眠《ねむ》りについたころ、人魚姫《にんぎょひめ》は船の手すりの横に座《すわ》りました。澄《す》んだ水のなかをじっと見つめていると、お父さまのお城《しろ》が見えるような気がしましたし、銀の冠《かんむり》をかぶったおばあさまが船の底《そこ》あたりで渦《うず》を巻《ま》く潮《しお》のなかからこちらを見上げているように思えました。そのときお姉さまたちが海面から顔を出して、白い手を心配そうに組み合わせながら悲しそうに人魚姫《にんぎょひめ》を見つめました。人魚姫《にんぎょひめ》はお姉さまたちに手招《てまね》きをして、ほほえみかけ、自分は元気だし幸せだと伝《つた》えたいと思いましたが、ちょうど船室係の少年が近づいてきたので、お姉さまたちは水のなかにもぐってしまい、その少年はいま見たのはただの海の泡《あわ》だったのだろうと思ったのでした。

あくる朝、船は近くの王国の都の港に着きました。すべての教会の鐘《かね》が鳴《な》り響《ひび》き、高い塔《とう》からはラッパの音が聞こえ、兵隊《へいたい》たちがたなびく旗《はた》やきらきらと輝《かがや》く銃剣《じゅうけん》を持ってパレードをしていました。来る日も来る日も、舞踏会《ぶとうかい》や歓迎会《かんげいかい》などの催《もよお》しが続《つづ》きましたが、お姫《ひめ》さまはまだ着いていませんでした。お姫《ひめ》さまは遠くの修道院《しゅうどういん》で育てられていて、そこで王族の一員として恥《は》ずかしくない教育を受けているというのです。そして、ようやく、そのお姫《ひめ》さまが到着《とうちゃく》しました。

お姫《ひめ》さまがどれほど美しいのかを見るのが待ち遠しかった人魚姫《にんぎょひめ》でしたが、実際《じっさい》に見てみると、これまで会っただれよりも愛《あい》くるしい人だと認《みと》めないわけにはいきませんでした。肌《はだ》は透《す》きとおるように美しく、笑《え》みをたたえた深い青色のきよらかな目は、黒々とした長いまつ毛に縁《ふち》どられています。

「あなただったのですか！」王子さまは言いました。「あなたは浜辺《はまべ》に打ち上げられて死にかけていたぼくを救《すく》ってくれましたね！」そう言うと王子さまは頬《ほお》を染《そ》めているお姫《ひめ》さまをぎゅっし抱《だ》きしめました。

「なんだか幸せすぎるくらいだよ！」王子さまは人魚姫《にんぎょひめ》に言いました。「これまで手の届《とど》かない望《のぞ》みだと思っていた、ぼくの人生で一番大きな夢《ゆめ》がかなったんだ。きみもぼくの幸せを喜《よろこ》んでくれるよね？　きみはだれよりもぼくのことを大切に思ってくれているんだから」

人魚姫《にんぎょひめ》は王子さまの片手《かたて》に口づけをしながら、胸《むね》が張《は》り裂《さ》けそうでした。王子さまが妻《つま》を迎《むか》えた翌朝《よくあさ》、自分は死んで海の泡《あわ》になってしまうのです。

教会の鐘《かね》が高らかに鳴《な》り響《ひび》き、馬に乗った伝令《でんれい》たちが町じゅうに婚約《こんやく》を触《ふ》れまわりました。どの祭壇《さいだん》でも、高価《こうか》な銀のランプで甘《あま》い香《かお》りのする油が焚《た》かれています。牧《ぼく》師《し》たちは香炉《こうろ》を振《ふ》り、新郎新婦《しんろうしんぷ》は手を取り合って、司祭《しさい》の祝福《しゅくふく》を受けました。絹《きぬ》と金のドレスを着た人魚姫《にんぎょひめ》は新婦《しんぷ》のドレスの裾《すそ》を持って立っていましたが、その耳に楽しげな音楽は届《とど》かず、その目も神聖《しんせい》な儀《ぎ》式《しき》を見てはいません。ただ死を迎《むか》える夜と、自分が失《うしな》ったあらゆるもののことを思っていたのでした。

その晩《ばん》、花嫁《はなよめ》と花婿《はなむこ》は船に乗りました。大砲《たいほう》が鳴《な》り響《ひび》き、旗《はた》が振《ふ》られ、船の中央には紫《むらさき》と金の王族用のテントが張《は》られていました。そこには、花婿《はなむこ》と花嫁《はなよめ》が静《しず》かな涼《すず》しい夜をゆったりと過《す》ごすためのとびきり豪華《ごうか》な長椅子《ながいす》が置《お》かれています。

帆《ほ》は風を受けてふくらみ、船はまるで止まっているかのように、澄《す》んだ海へとすべるように出航《しゅっこう》しました。あたりが暗くなると色つきのランプが灯《とも》され、船乗りたちは甲板《かんぱん》で陽気に踊《おど》りました。人魚姫《にんぎょひめ》は、初《はじ》めて海面に上がってこれとよく似《に》た祝宴《しゅくえん》を見た日のことを思い出さずにはいられませんでした。人魚姫《にんぎょひめ》は踊《おど》っている人々のなかに混《ま》じると、追われたツバメのようにすいっと進んではくるりとまわったりして拍手喝《はくしゅかっ》采《さい》を浴《あ》びました。人魚姫《にんぎょひめ》がこれまでよりもいっそう見事な踊《おど》りを見せたからです。ほっそりとした脚《あし》は鋭《するど》いナイフで切《き》り裂《さ》かれるようでしたが、人魚姫《にんぎょひめ》は何も感じていませんでした。心のほうがはるかに痛《いた》かったからです。人魚姫《にんぎょひめ》にはこれが王子さまといられる最後《さいご》の晩《ばん》だとわかっていました。王子さまのために家族も故郷《こきょう》も捨《す》て、美しい声を失《うしな》い、毎日終わりのない痛《いた》みに耐《た》えてきましたが、王子さまはそんなことを何ひとつ知らないのです。王子さまと同じ空気を吸《す》うのも、深い海や満天《まんてん》の星空を見るのも、これが最後《さいご》でした。魂《たましい》を持たず、それを手に入れられなかった人魚姫《にんぎょひめ》を待ち受けているのは、何かを考えることも夢見《ゆめみ》ることもない終わりのない夜なのです。船上では真夜中すぎまでお祝《いわ》いの宴《うたげ》が続《つづ》くなか、人魚姫《にんぎょひめ》は笑《わら》ったり踊《おど》ったりしながら死を思っていました。王子さまは美しい花嫁《はなよめ》に口づけをし、花嫁《はなよめ》は王子さまの黒い髪《かみ》に手を触《ふ》れていります。やがてふたりは腕《うで》を組むと、豪華《ごうか》なテントに入っていきました。

するど、船の上はたちまち静《しず》かになり、舵《かじ》のところに舵取《かじと》りが立っているだけになりました。人魚姫《にんぎょひめ》は白い両腕《りょううで》を甲板《かんぱん》の手すりに置《お》き、朝日のバラ色の光があらわれる東のほうを見つめました。最初《さいしょ》の日の光が見えたとき、自分は死ぬのだと知っていたからです。そのとき、お姉さまたちが波のあいだから姿《すがた》をあらわしました。みんな人《にん》魚姫《ぎょひめ》と同じくらい青い顔をして、風にたなびいていた美しかった長い髪《かみ》は短く切られています。

「魔女《まじょ》に助けてもらうために髪《かみ》をさし出したの。今夜、あなたが死ななくてすむように。これは魔女《まじょ》がくれたナイフよ。よく切れそうでしょう！　日の出前にこれを王子さまの心臓《しんぞう》に突《つ》き刺《さ》しなさい。その温かい血があなたの脚《あし》にかかれば、前みたいにまた尾《お》びれになるわ。そうすればあなたはまた人魚になって、わたしたちといっしょに海に戻《もど》り、死んで海の泡《あわ》になるまで三百年もの時を過《す》ごすことができるの。さあ急いで！　日の出とともに王子さまかあなたのどちらかが死ななければならないのよ。おばあさまはあなたの身を案《あん》じるあまり、白かった髪《かみ》の毛《け》がすべて抜《ぬ》け落《お》ちてしまったわ。わたしたちの髪《かみ》の毛《け》が魔女《まじょ》のはさみで切り落とされたようにね。王子さまを殺《ころ》して帰っていらっしゃい！　さあ早く！　空の赤いすじが見える？　もうすぐ日がのぼるわ。そうしたら、あなたは死んでしまうのよ！」お姉さまたちは深いため息をつくと、波間に消えてしまいました。

テントの紫色《むらさきいろ》のカーテンを引くと、愛《あい》らしい花嫁《はなよめ》が王子さまの胸《むね》に頭をあずけて眠《ねむ》っていました。人魚姫《にんぎょひめ》は身をかがめると、王子さまのりりしい額《ひたい》に口づけをしました。空を見上げ、バラ色の光がどんどん明るくなっているのを見てから、鋭《するど》いナイフを見つめ、もう一度、王子さまに目をやると、王子さまは眠《ねむ》りながら花嫁《はなよめ》の名前をつぶやきました。そう、王子さまの頭のなかにあるのは花嫁《はなよめ》のことだけなのです。その瞬間《しゅんかん》、

手のなかのナイフが震《ふる》えましたが、人魚姫《にんぎょひめ》はいきなりそれを遠くの波に放り投げました。そのナイフは海に落ちるときに赤く光り、まるで水中から血がはねかえってきたように見えました。人魚姫《にんぎょひめ》がもう一度うるんだ目で王子さまを見つめて船から海に身を投げると、体が海の泡《あわ》のなかに溶《と》けていくのを感じました。

やがて海から太陽が顔を出し、そのやさしく温かい光が、死のように冷《つめ》たい海の泡《あわ》に降《ふ》り注《そそ》ぎましたが、人魚姫《にんぎょひめ》は死の苦しみを少しも感じませんでした。頭上には輝《かがや》く太陽のほか、何百もの美しい透明《とうめい》なものが漂《ただよ》っていて、その向こう側《がわ》に船の白い帆《ほ》や空の赤い雲が透《す》けて見えています。透明《とうめい》なものの声は音楽のようでしたが、あまりにも美しいので人間には聞こえません。その姿《すがた》が見えないのと同じように。おまけに、翼《つばさ》もないのに空に浮《う》かんでいるのです。人魚姫《にんぎょひめ》は自分の体もその透明《とうめい》な霊《れい》たちとそっくりで、ゆっくり海の泡《あわ》から空へとのぼっていることに気づきました。

「あなたたちは、だれ？　わたしはだれのところへ行くの？」そうたずねた人魚姫《にんぎょひめ》の声は、ほかの霊《れい》たちの声とそっくりでした。地上の音楽にもたとえられない、この世のものとは思えない声です。

「わたしたちは風の娘《むすめ》よ」ほかの霊《れい》たちが答えました。「人魚には永遠《えいえん》の魂《たましい》はなく、人間から愛《あい》されないかぎりそれを持つことはできないの。人魚が永遠《えいえん》の命を手に入れるには、人間の力が必要《ひつよう》なのよ。風の娘《むすめ》たちも永遠《えいえん》の魂《たましい》を持っていないけれど、よい行いをすることによって永遠《えいえん》の魂《たましい》を獲得《かくとく》することができるわ。たとえば悪疫《あくえき》をもたらす風が吹《ふ》いている国へ飛《と》んでいって、人間たちに涼《すず》しい風を運んであげたり、風によって花の香《かお》りを漂《ただよ》わせて、生きる力や癒《いや》しを与《あた》えたりして。そうやって一生懸命《いっしょうけんめい》に三百年のあいだよい行いを続《つづ》ければ、永遠《えいえん》の魂《たましい》を与《あた》えられて、人間と同じ永遠《えいえん》の幸福を手に入れられるの。気《き》の毒《どく》な人魚姫《にんぎょひめ》、あなたはこれまで永遠《えいえん》の魂《たましい》と幸福のために努力《どりょく》して、苦しみ、耐《た》えてきたわ。これからあなたは霊《れい》の世界へのぼっていき、三百年間のよい行いのあと、永遠《えいえん》の魂《たましい》を手に入れるのよ」

太陽のほうへ目を向けた人魚姫《にんぎょひめ》は、生まれて初《はじ》めて涙《なみだ》が出てきたのを感じました。

船の上では、新たな一日が始まろうとしていました。王子さまと美しい花嫁《はなよめ》が人魚《にんぎょ》姫《ひめ》を探《さが》してきらきら光る海の泡《あわ》を悲しそうに見つめています。まるで人魚姫《にんぎょひめ》が海に身を投げたことを知っているようでした。目に見えない透明《とうめい》な姿《すがた》の人魚姫《にんぎょひめ》は花嫁《はなよめ》の額《ひたい》に口づけをし、王子さまにほほえみかけました。それから、ほかの風の娘《むすめ》たちといっしょに空を流れていくバラ色の雲のほうへとのぼっていったのです。

「こんなふうにして、わたしたちは神さまの国へのぼっていくのね。三百年経《た》ったら」

「もっと早くたどりつけるかもしれないわ！」風の娘《むすめ》たちのひとりがささやきました。「だれにも気づかれずに子どもたちがいる家のなかに飛《と》んでいって、両親に喜《よろこ》びを与《あた》え、愛《あい》されているよい子をひとり見つけるたびに、神さまはわたしたちの放浪《ほうろう》の期間を短くしてくださるの。その子はわたしたちが部屋に入ってきたのは知らないのだけど、わたしたちがにっこりとほほえむと、三百年のうちの一年分が短縮《たんしゅく》されるのよ。ただ、わがままで意地悪な子どもを見ると、わたしたちは悲しみの涙《なみだ》を流すことになって、ひと粒《つぶ》の涙《なみだ》ごとに放浪《ほうろう》の日々が一日ずつ長くなってしまうのだけどね」

人魚姫《にんぎょひめ》のこと　～北欧《ほくおう》の妖精《ようせい》たち

ニッセ：人魚姫《にんぎょひめ》がかわいそうすぎる……涙《なみだ》。
ノール：うん……なんで、アンデルセンさんの恋物語《こいものがたり》は必《かなら》ずだれかを失恋《しつれん》させるかな。
ニッセ：百点満点《ひゃくてんまんてん》のハッピーエンドには絶対《ぜったい》させないって執念《しゅうねん》すら感じるよ。失恋《しつれん》するキャラへの強い感情移入《かんじょういにゅう》もお約束だね。人魚姫《にんぎょひめ》とか、親指っ子ちゃんのツバメとか。
ノール：いくらかはアンデルセンさん自身の思いじゃないかな、失恋《しつれん》ばかりで一生独身《どくしん》だったし。ところで人魚姫《にんぎょひめ》の父王にはお妃《きさき》がいなかったでしょ？　あの元ネタは北欧《ほくおう》神話なんだって。
ニッセ：そうなの？
ノール：うん。ニョルズという海の神さまがいて、奥《おく》さんとうまくいかずに別れちゃったの。ちなみにニョルズの娘《むすめ》は愛《あい》と美を

司《つかさど》るフレイヤ女神《めがみ》で、猫《ねこ》と縁《えん》が深くてね。わたしたち森の猫《ねこ》はフレイヤのお使いの子孫《しそん》なんだよ。

ニッセ：ふうん、すごいな。そういえば「妖精《ようせい》の丘《おか》」でも、人魚は格上扱《かくうえあつか》いだったっけ。実は神さまだから？

ノール：かもね。人魚姫《にんぎょひめ》はきれいだけど、北欧《ほくおう》の海や川や湖には怖《こわ》い魔物《まもの》も多いよ。たとえば水妖《ニクス》は水の中に人間を引きずりこむ。妖怪《ようかい》の中にはキリスト教になってからの顔ぶれもいて、蒼《あお》ざめた馬は新約聖書《しんやくせいしょ》のヨハネ黙示録《もくしろく》に出てくる不吉《ふきつ》な存在《そんざい》だよ。

ニッセ：ぼくの名もいちおう妖精《ようせい》だけど、人間とはわりと仲《なか》よしだ。けど、妖精《ようせい》の丘《おか》の下の種族《しゅぞく》や、ノルウェーからのお客はちょっと違《ちが》う感じ？

ノール：うん、丘《おか》の下やノルウェーの妖精《ようせい》たちはトロールじゃないかな。すごく強いんだけど、太陽を浴《あ》びたら石になっちゃうんだ。

ニッセ：ふうん、必死《ひっし》になって窓《まど》を閉《し》めてたのはそういうことだったの。

皇帝《こうてい》の新しい服

昔のことですが、とんでもない着道楽の皇帝《こうてい》がいて、財布《さいふ》の底《そこ》をはたいてでも身なりにお金をかけていました。閲兵《えっぺい》なんぞ知るか、観劇《かんげき》も興味《きょうみ》なし、馬車の遠出もどうでもよくて、新しい服を見せびらかすのだけが生きがいです。何しろ、来る日も来る日も一時間単位《たんい》でとっかえひっかえするための上着がそろっており、よその国ならさしずめ「陛下《へいか》は政策審議《せいさくしんぎ》中です」のところ、この国ではこうなんですから。「陛下《へいか》はお支度《したく》中です」

皇帝《こうてい》の住まう都は、昼も夜もにぎわう大都会でした。日々、大勢《おおぜい》のよそ者がやってきますが、ある時、そんなよそ者の中にペテン師《し》ふたりが混《ま》ざっていました。どちらも機織《はたお》りの名人というふれこみで、思《おも》い及《およ》ぶ限《かぎ》り最高《さいこう》の布《ぬの》を織《お》れる、色柄《いろがら》とも人間わざではないが、その布《ぬの》で仕立てた衣服《いふく》も特殊《とくしゅ》な力を持ち、地位《ちい》にふさわしくない役人や救《すく》いようのないバカの目には見えないというのです。

「そんな服なら余《よ》にうってつけだ」と、皇帝《こうてい》は考えました。「余《よ》が着れば、帝国内《ていこく》のできそこない役人どもを一発であぶりだせそうだ。それに知恵者《ちえしゃ》とバカの区別《くべつ》もつく。よし、すぐにでもその布《ぬの》を織《お》らせるとしよう」と、ペテン師《し》ふたりに大金を渡《わた》してただちにかからせました。

ふたりは織《お》り機《ばた》を二台すえて織《お》るふりをしましたが、機《はた》の上は空っぽです。材料《ざいりょう》として皇帝《こうてい》から巻《ま》き上《あ》げた最高級《さいこうきゅう》の絹糸《きぬいと》と混《ま》じりけなしの純金糸《じゅんきんし》はそっくりネコババして手荷物にしまいこみ、夜な夜な遅《おそ》くまで空っぽの機《はた》に向かっていました。

「あの名人どもの仕事は、どれほどはかどったかな」と皇帝《こうてい》は考えたものの、バカや地位《ちい》にふさわしくない役人には見えないことを思い出して、わずかにもやもやしました。自分を疑《うたが》うなどありえませんが、自分以外《いがい》のだれかを見にやったほうがよかろう。あの布《ぬの》の特殊《とくしゅ》な力は都中に知れわたり、みんな、自分たちのお隣《となり》さんのおつむの程度《ていど》を知りたくてうずうずしていたのです。

「機織《はたお》りのところへは正直者の老大臣《ろうだいじん》を行かせよう」皇帝《こうてい》は思いました。「どんな布《ぬの》か見てこさせるなら、あの者がいちばんだ。分別《ふんべつ》があり、まじめこの上ないからな」

そんなわけでこの正直な老大臣《ろうだいじん》は、ペテン師《し》ふたりが機織《はたお》りのまねごとをする部屋を訪《おとず》れました。「なんと、どうしよう」と内心で思いながら、かっと目をむいて睨《にら》みつけます。「何も見えんぞ」ただし、そうとはおくびにも出しません。

ペテン師《し》どもはふたりがかりで、もっとお近くで見事な柄《がら》や色合いをご覧《らん》くださいなどと親身に申し出て空っぽの機《はた》を指さし、気《き》の毒《どく》な老大臣《ろうだいじん》も必死《ひっし》の芝居《しばい》を打ちました。そもそも何もないのですから、見えなくて当たり前です。「ああ神よ、お助けを」と思うばかり。「もしや、わたしはバカだったのか？　これまで夢《ゆめ》にも思わなかったし、だれにも知られてはならん。大臣《だいじん》の地位《ちい》にふさわしくないというのか？　この布《ぬの》が見えないとバレたら最後《さいご》だ、ろくなことにならんぞ」

「ささ、なんなりとご遠慮《えんりょ》なくお聞かせくださいませ」と、にせ名人の片割《かたわ》れが水を向けました。

「おおお、見事じゃ――目が離《はな》せん」老大臣《ろうだいじん》はめがね越《ご》しに目を凝《こ》らしました。「なんたる柄《がら》か、なんと絶妙《ぜつみょう》な彩《いろど》りか！　わたしの意にかなったところを、ありていに陛《へい》下《か》に言上《ごんじょう》しよう」

「仰《おお》せのおもむき、ありがたく存《ぞん》じます」ペテン師《し》どもは答え、ありとあらゆる色の名をずらずらとあげてみせたり、凝《こ》った柄《がら》を解説《かいせつ》したりしました。老大臣《ろうだいじん》のほうでも、あとで皇帝《こうてい》への報告《けいこく》に使おうと、ひとことも洩《も》らさずに聞こうとしました。そして、御前《ごぜん》でそっくりまねて報告《ほうこく》したのです。

ペテン師《し》どもは機織《はたお》りに足りないからと、すぐさま追加《ついか》の下賜金《かしきん》と絹糸《きぬいと》と金糸を願《ねが》い出《で》ました。ただし右から左へそっくりネコババし、糸ひと筋《すじ》だって織《お》らずに相変《あいか》わらずせっせと空っぽの機《はた》を動かしていました。

じきに皇帝《こうてい》はまた信用《しんよう》できる別《べつ》の役人を見つくろって派遣《はけん》し、作業の進み具合や、織《お》り上《あ》がりの見込《みこ》み時期はもうじきかを確かめさせることにしました。この役人も、老大臣《ろうだいじん》と同じ目に遭《あ》いました。いくら見直《だし》ても、どだい、ありもしない布《ぬの》が見えるはずがありません。

「美しい布《ぬの》でございましょう?」と、ペテン師《し》どもはありもしない布《ぬの》をご覧《らん》に入れ、柄《がら》についてうんちくを垂《た》れます。

「自分がバカでないのはわかっとる」役人は思いました。「ならば役職不適格《やくしょくふてきかく》のほうか。おかしいな。ただしくれぐれも他に知られてはならん」そこで、見えもしない布《ぬの》をほめそやし、えもいえぬ色合わせといい、目もあやな文様といい、まこと目の保養《ほよう》だと言い切りました。その後に復命《ふくめい》して皇帝《こうてい》に述《の》べたのです。「あまりに見事で、もうすっかり夢中《むちゅう》になってしまいました」

このたびの見事なお洋服の話で都中が持ちきりになり、皇帝《こうてい》も織《お》り上《あ》がる前に見に行きたいという気を起こしました。それで、選《よ》りすぐったお供《とも》を連《つ》れて行《い》くことにしましたが、お先に見に行かされたふたりも数に入れられ――ペテン師《し》どもとご対面です。いざ行ってみれば、ふたりとも懸命《けんめい》に織《お》ってはいるようですが、どちらの機《はた》にも糸のいの字もありません。

「すばらしい逸品《いっぴん》です」などと、あの大臣《だいじん》と役人のふたりが早くもでまかせを述《の》べます。「まあご覧《らん》くださいませ、陛下《へいか》、あの妙《たえ》なる色味を！　なんと見事な図案《ずあん》でしょうか！」と、てんでに空っぽの機《はた》を示《しめ》します。内心ではおたがいに、相手には見えていると思いこんでいますからね。

「なんだ、これは？」皇帝《こうてい》は思いました。「なんにも見えんぞ。とんだことになった！　余《よ》はバカなのか？　皇帝失格《こうていしっかく》か？　人もあろうにこの身がなんという――！」という内心とはうらはらに、口では、「うむ！　たいそう心惹《ひ》かれるな。余《よ》は大いに気に入ったぞ」などと、空っぽの機《はた》へ満足《まんぞく》げにうなずいてみせました。何も見えないなんて、口が裂《さ》けても言いたくなかったのです。

お供《とも》はみんな、穴《あな》が開くほど見ましたが、何も見えないのはおたがいさまです。でも、みんなが我《われ》も我《われ》もと皇帝《こうてい》のお褒《ほ》めの言葉に調子を合わせました。「おおっ、実にきれいですなあ」それから、この仕立ておろしには、せっかくですから近く予定された大がかりな行列の先頭に立たれてはいかがと皇帝《こうてい》をたきつけました。「豪奢《ごうしゃ》なものだ！　申し分ない！　世にふたつとない品ですぞ！」口から口へとそんな言葉が伝《つた》わり、だれもかれもせいぜい笑顔《えがお》を装《よそお》います。皇帝《こうてい》はペテン師《し》どもめいめいに、ボタン穴《あな》用の十字章と「御用織匠《ごようおりしょう》」の称号《しょうごう》を授《さず》けました。

行列の前日にペテン師《し》たちは六本以上《いじょう》もろうそくを使って徹夜《てつや》し、皇帝《こうてい》のお洋服の仕上げにかかりきるふりをしました。あの機《はた》から布《ぬの》を外すまねをして、巨大《きょだい》な裁《た》ちばさみで空を切り、ようやくこう言ったのです。「さあ、皇帝陛下《こうていへいか》ご用命の新しいお洋服ができました」

やがて、はえぬきの大貴族《だいきぞく》だけを従《したが》えた皇帝《こうてい》本人がやってきました。ペテン師《し》どもはふたりがかりで何かをかかげるようにそれぞれ片腕《かたうで》を上げ、こう述《の》べました。「こちらがズボンでございます。お上着はこちら、マントはこれでございます」と、服の名を次々と挙《あ》げてみせ、「どのお洋服もクモの巣《す》なみに軽うございます。お召《め》しになった体感はみじんもございますまいが、それだけ上質《じょうしつ》な素材《そざい》でございますので」

「なるほど」大貴族《だいきぞく》らがそろって相槌《あいづち》を打ちましたが、服が見えているものはひとりもいません。そもそもないのですから。

「陛下《へいか》を煩《わずら》わせて恐縮《きょうしゅく》に存《ぞん》じますが、ご自身のお手でお洋服を脱《ぬ》いでいただきたく」ペテン師《し》どもが願《ねが》い出《で》ます。「わたくしどもはこの大鏡《おおかがみ》の前で、新しいほうの着つけ

をお手伝《てつだ》いいたします」

こうしてまんまと着ていたものを脱《ぬ》がせてしまうと、ペテン師《し》どもは新調の服をひとつずつ着せてゆくふりをしました。手まねでお腰《こし》に何かを締《し》め――長めのローブのつもりで――鏡《かがみ》の前の皇帝《こうてい》に、あちらこちらと向きを変《か》えさせました。

「陛下《へいか》、新しいお洋服は実によくお似合《にあ》いでございます。お体にぴったりではございませんか！」四方八方からそんな褒《ほ》め言葉が寄《よ》せられます。「あの柄《がら》の見事なこと！　あの色味も絶妙《ぜつみょう》だ！　すばらしいお洋服でございますな」

やがて式部長官《ちょうかん》が宣言《せんげん》しました。「陛下《へいか》専用《せんよう》の天蓋《てんがい》持ちが表に待機《たいき》しております」

「うむ、余《よ》も出られそうだ」そこで皇帝《こうてい》は出がけの確認《かくにん》かたがた、鏡《かがみ》の前でまたくるりと一周《しゅう》してみました。「仕立ても見事ではないか？　どこもかしこも寸法《すんぽう》通りだ」と、興味津々《きょうみしんしん》で新調の一式を眺《なが》めるふりをします。

いったんかがんだ大貴族《だいきぞく》たちが、床《ゆか》から皇帝《こうてい》のマントの裾《すそ》でも持ち上げるような手つきをします。その後に高く捧《ささ》げ持《も》つ姿勢《しせい》となりました。ここにきて見えないとわざわざ認《みと》める物好《ものず》きはいませんよね。

やがて、皇帝《こうてい》は豪奢《ごうしゃ》な天蓋《てんがい》をかざしてお発《た》ちになりました。沿道《えんどう》や窓辺《まどべ》の民草《たみくさ》はみんなくちぐちに、「うわあ、こんどの陛下《へいか》のお洋服はいいねえ！　どこもかしこも完《かん》壁《ぺき》な着こなしじゃない？　あんなに裾《すそ》を引くんだね！」見えませんなんて言おうものなら不適格《ふてきかく》かおバカさんと自白したようなものですから、そう口走る者はいません。かつて皇帝《こうてい》が袖《そで》を通した中で、民《たみ》から全くケチがつかなかった服はこれが初《はじ》めてでした。

「でもね、あの人、服なんか着てないよ」と言ったのは小さな子どもです。

「聞いたかい、ここまで素直《すなお》になれるか？」子どもの父親が言いました。あとは人から人へとひそひそ声で、今の子どもの言葉が伝《つた》わっていきます。「あの人、服なんか着てないよってさ。小さい子がそう言ったんだって」

とうとう都中が声を張《は》り上《あ》げました。「あの人、服なんか着てないよ！」

皇帝《こうてい》はゾッとしました。自分でもそうじゃないかという気はしていたのです。ですが、「行列を途中《とちゅう》で投げ出すわけにはいかん」と思い直し、前にもまして胸《むね》を張《は》って堂々《どうどう》と進んでいきました。ありもしない裾《すそ》をかかげた貴族《きぞく》たちを従《したが》えてね。

願《ねが》いをかなえるブーツ

一．そもそもの始まり

それはコペンハーゲンでのこと、王の新市場広場からも行きやすい東街《ひがしがい》のさるお屋《や》敷《しき》で大きなパーティがありました。人さまにおよばれしたければ、たまにはパーティを開いてお招《まね》きしませんとね。お客の半数はとうにカード遊びのテーブルに移《うつ》り、あとの残《のこ》りは女主人の「さて、何かいたしません？」の中身はなんだろうと様子見していました。

会話の盛《も》り上《あ》がりもそのへんで落ち着き、いろんな話題が出た中に中世史《ちゆうせいし》がありました。現代《げんだい》よりはるかにいいという意見も出て、やけに熱《ねつ》をこめて賛同《さんどう》したクナップ参審官《さんしんかん》に女主人もすぐさま肩入《かたい》れして、今の暦法《れきほう》をよしとする科学者エルステッドの古今比《ひ》較論《かくろん》をふたりでさかんにあげつらいます。デンマークが国威《こくい》を上げた最盛期《さいせいき》として参審官《さんしんかん》があげたのは、一五〇〇年ごろのハンス王（訳註《やくちゅう》：デンマーク・ノルウェー・スウェーデン王　生没年《せいぼつねん》一四五五―一五一三）の時代でした。

意見を戦《たたか》わせるさなかに新聞が届《とど》きましたが、めぼしい記事は特《とく》にありませんでした。さて、ここでいったん中座《ちゅうざ》し、来客のコートやステッキやこうもりがさやブーツをあずけておいた玄関脇《げんかんわき》のクロークルームをのぞいてみましょうか。若《わか》いのと年輩《ねんぱい》の小間使いが椅子《いす》で待っていて、見ようによっては未婚婦人《みこんふじん》か未亡人《みぼうじん》にお供《とも》してきたのかなという感じです。それでもよく見直せば、使用人などでないのはすぐわかります。手がぜんぜん荒《あ》れておらず、ただ者でない身のこなしに、服装《ふくそう》もどこか独特《どくとく》です。

ふたりの正体は精霊《せいれい》でした。若《わか》いほうは幸運の女神《めがみ》でなくその使いで、女神《めがみ》手ずから与《あた》えるより小さい幸運を配るお役目です。年輩《ねんぱい》の女はひどく深刻《しんこく》な表情《ひょうじょう》でした。こちらは悲しみの精《せい》で、つねに単独《たんどく》行動なのは、なんでも自分でしっかり確《たし》かめたいからです。

ふたりはその日に回った場所を教え合っていました。幸運の使いは新品の帽子《ぼうし》に雨をかけない、貴族《きぞく》のどら息子《むすこ》が正直な庶民《しょみん》にまともな挨拶《あいさつ》をするなどといった、はした仕事をやっといくつかすませたところですが、ありきたりでないお役目がまだあとひとつ残《のこ》っています。

「これも話しておかなくちゃ。今日はわたしの誕生日《たんじょうび》でね、あるブーツを人間に届《とど》けるお役目をお祝《いわ》いに任《まか》せていただいたのよ。これには不思議《ふしぎ》な力があって、はいたとたんに今よりも好《す》きな場所や時代に連《つ》れてってくれるの。時と場所のことならどんな願《ねが》いもかなうから、人間たちがついにこの下界で幸せになれるというわけよ」

「だったら先に言っておくわ」と悲しみは言いました。「はいた人は幸福どころか不幸《ふ》の泥沼《どろぬま》にはまりこみ、うまいことそのブーツが脱《ぬ》げたら大喜《おおよろこ》びするわよ」

「よくも言ったわね」相手が大声をあげます。「なら、入口脇《わき》にこれを置《お》いときましよ。どんな人でも間違《まちが》えてはけば、たちまち幸せになれるわ」

ふたりのやりとりはそこで終わりました。

二　参審官《さんしんかん》の一夜

クナップ参審官《さんしんかん》がそろそろこのへんでおいとまをと思ったのは、だいぶ夜ふけになってからです。運命のいたずらか、ハンス王の時代にすっかり気を取られてうっかりあのブーツをはくと、そのまま東街《ひがしがい》に出ていきます。ところが、もうさっそくブーツの魔法《まほう》でハンス王の時代に連《つ》れていかれ、舗装《ほそう》のなかった時代の泥《どろ》んこ道のぬかるみに思いきりはまってしまいました。

「うわっ、やられた」と、参審官《さんしんかん》。「歩道があとかたもない、街灯《がいとう》もぜんぶ消えてる」

月がまだ高くないのと、なんだか霧《きり》がかって見通しがきかず、周囲《しゅうい》はおぼろな闇《やみ》の中です。次の街角《まちかど》には聖母図《せいぼず》がかかっていました。といっても、絵の手前のランタンはあってなきがごとしで、明かりの真下に入ってようやく聖母子《せいぼし》だと気づくありさまです。

「おおかた画廊《がろう》だろう」と内心思います。「看板《かんばん》をしまい忘《わす》れたな」

そこへ、中世の服装《ふくそう》をしたふたり連《づ》れが通りかかりました。

「なんと風変《ふうが》わりな！　おおかた、仮装舞踏会《かそうぶとうかい》の帰りだろうて」

ちょうどそこへ太鼓《たいこ》と笛の音が近づき、たいまつが明るく照《て》らし出《だ》します。参審官《さんしんかん》はびっくりして立ち止まり、風変《ふうが》わりな行列をその場で見送りました。巧《たく》みな太鼓隊《たいこたい》に先導《せんどう》され、お次に弓や弩《いしゆみ》を構《かま》えた兵《へい》たち。行列の主役は高位《こうい》の聖職者《せいしょくしゃ》です。参審官《さんしんかん》はどぎもを抜《ぬ》かれ、これはいったい何の騒《さわ》ぎですか、そもそもどなたのご行列ですか、とたずねました。

「シェラン（訳註《やくちゅう》：デンマークの主《おも》な島。東の端《はし》にコペンハーゲンがある）の大司教《だいしきょう》さまですよ」

「一体全体どんな風の吹き回《まわ》しで、大司教《だいしきょう》さまがここまで？」不審《ふしん》がった参審官《さんしんかん》は、ため息まじりにやれやれと頭を振《ふ》りました。「あの大司教《だいしきょう》さまが？　ありえん」まだそっちに気を取られて脇目《わきめ》もふらずに東街《ひがしがい》を抜《ぬ》け、大橋広場を横切ったままではいいのですが、そこから王宮前へ出る橋がどこにも見当たりません。すると、だいぶたってようやく浅瀬《あさせ》の川土手に泊《と》めてあるボートが見つかりました。男ふたりが乗っています。

「旦那《だんな》、中洲《なかす》へお渡《わた》りですかね？」と、そのふたりにたずねられました。

「中洲《なかす》だって？」参審官《さんしんかん》は問い返しました。まさか自分が別《べつ》の時代にいるとは思《おも》いもよりません。「小市場街《こいちばがい》からクリスチャンスハウン運河《うんが》へやってくれ」

男たちはぽかんとしています。

「すまんが、橋はどこだろうか」と、参審官《さんしんかん》はきいてみました。「街灯《がいとう》をひとつもつけないなんてけしからんし、こんなぬかるみじゃ沼《ぬま》を歩くのと変《か》わらん」それでも、話せば話すほど双方《そうほう》わけがわからなくなります。「そんなボーンホルム島（訳註《やくちゅう》：デンマークの離島《りとう》のひとつ）なまりでごちゃごちゃ言われても、さっぱりだ」参審官《さんしんかん》はとうとう怒《おこ》って背《せ》を向けてしまいました。だけど橋らしきものはありません。囲《かこ》いの柵《さく》すらないのです。

「なんてざまだ！　どこもかしこもなっとらん！」参審官《さんしんかん》はこの晩《ばん》ほど、今の世のありさまに愛想《あいそ》をつかしたことはありません。「辻馬車《つじばしや》を拾ったほうがよさそうだな」でも、かんじんな辻馬車《つじばしや》は？　一台もいません。「王の新市場まで戻《もど》るしかないか、あそこなら一台ぐらいいるだろう。そうでもしないと、いつまでたってもクリスチャンスハウンへたどりつけないぞ」

そんなわけで参審官《さんしんかん》はとぼとぼと東街《ひがしがい》へ引き返し、すぐ手前まで来たところへ雲間から月がのぞきました。

「おいおい、なんだこりゃ、こんなところに何をおっ建《た》ててる？」当時は東街《ひがしがい》の入口にあった東門を見て、思わず声を上げてしまいました。ですが、なんとか門の通用口を見つけて通り、現代《げんだい》でいうと新市場広場へ出たつもりでした。ところがいざそっちへ出てみれば、ゆったりした草地があるだけです。あちこちにやぶがあり、草地全体が広い運河《うんが》だか川だかに二分されています。向こう岸にはオランダ人の船員たち用のみすぼらしい木造《もくぞう》の家が数軒《すうけん》あり、そのせいでこの場所は当時「オランダが原」と呼《よ》ばれていたのです。

「いわゆる蜃気楼《しんきろう》を見ているのか、それとも酔《よ》っぱらったかな」参審官《さんしんかん》はうめき声をもらしました。「ここはどういう場所だ？　わたしは今どこにいるのかな」てっきり自分は重病なんだと信《しん》じこんで引き返します。さっきの通りに入ってよく見ますと、民家《みんか》の大半は木造《もくぞう》ですが、茅葺《かやぶき》の家もだいぶあります。

「われながら、どうかしとる」ぶつくさ言いました。「パンチ酒なんか一杯《ぱい》しか飲まなかったのに、体に合わなかったんだな。パンチに鮭《さけ》の温製《おんせい》を添《そ》えて出そうなんて、とっぴすぎるぞ！　あの屋敷《やしき》の高官夫人《こうかんふじん》にはくれぐれも釘《くぎ》を刺《さ》しておこう。すぐ戻《もど》って不調《ふちょう》を訴《うった》えたほうがいいかな？　いやあ、それも気まずいし、屋敷《やしき》のだれかがまだ起きているかどうか怪《あや》しいもんだ」さっき出てきた屋敷《やしき》を探《さが》しましたが、それらしきものはありません。

「なんと恐《おそ》ろしい！　東街《ひがしがい》のありかさえわからん。店はひとつもなさそうだ、古ぼけたあばら屋ばかりで、ロースキレかレングステヅくんだりの、へんぴな町みたいだな。うわあ、それでもこんなに具合が悪いんじゃお行儀《ぎょうぎ》どころじゃないが、あの高官《こうかん》の屋敷《やしき》はどこへ行っちまったんだ。このあばら屋がなんだかそれっぽいが、中でまだ起きている人の気配がする。いやあ、このぶんじゃ、かなりの重病だな」

明かりのもれた半開きの扉《とびら》を押《お》し開《あ》けて様子をうかがえば、そこは当時の酒場兼《けん》宿屋でした。内装《ないそう》はホルスタインあたりの農家の台所つき土間そっくりで、卓《たく》の顔ぶれは船乗りたちやコペンハーゲン市民《しみん》、それに学者二名といったところでしょうか。新来の客にはおかまいなくビール片手《かたて》に話しこんでいます。

「すみませんが」参審官《さんしんかん》は、出てきたおかみに言いました。「具合を悪くしてしまって。恐《おそ》れ入《い》りますが、クリスチャンスハウンまで辻馬車《つじばしゃ》を呼《よ》んでもらえませんか」

おかみはかぶりを振《ふ》りながら参審官《さんしんかん》をひとしきり品定めした上で、ドイツ語で話しかけました。参審官《さんしんかん》のほうでもデンマーク語が話せない女なのだろうと察《さつ》しをつけ、やはりドイツ語で同じことを頼《たの》みました。しかも風変《ふうが》わりな身なりときています。おかみはてっきり外国人だと思いこみ、気分が悪そうなのをすぐ見てとって、水を汲《く》んできてくれました。ただ、すぐ外にある、海面と同じ水位《すいい》の井戸《いど》からじかに汲《く》んだのをそのまま出したので、塩《しょ》っぱくて飲めたものではありません。参審官《さんしんかん》は頭を抱《かか》えて深く息をつき、周囲《しゅうい》で見聞きしたあれやこれやの違和感《いわかん》をじっと抱《かか》えこんでいました。

「そいつは今夜の夕刊《ゆうかん》かね？」参審官《さんしんかん》はおかみが持って行こうとした大判紙《おおばんし》の束《たば》を見て、ふと話しかけました。

おかみのほうでは何のことかわけがわからず、ほいっと渡《わた》してよこしました。木版画《もくはんが》で、ドイツのケルン上空で起きた異変《いへん》を描《えが》いています。

「これはすごく古いね」参審官《さんしんかん》はこの発見にたちまち元気づきました。「こんな珍《めずら》しい古版画《こはんが》がどこにあったんですか？　面白《おもしろ》いですねえ、もちろん、このすべてが話半分のたわごとに過《す》ぎませんが。現代《げんだい》ではこうした大気現象《げんしょう》をオーロラと位置《いち》づけ、おそらくは電気だろうと説明《せつめい》しています」

付近《ふきん》の相客たちは、その説明《せつめい》に驚《おどろ》いて参審官《さんしんかん》の顔を見ていました。中のひとりが立ってうやうやしく帽子《ぼうし》をとり、大まじめな口調で、

「さだめし名のある大学者さまでいらっしゃいますね」

「いえいえそんな」と参審官《さんしんかん》は答えました。「基本《きほん》の一般常識《いっぱんじょうしき》をひとつかふたつ申し上げたに過《す》ぎません」

「「謙遜《けんそん》は美徳《びとく》」ですな」男ははっきりと言い切りました。「只今《ただいま》のおっしゃりようには「異議あり《ミヒ・セクス・ウィデトゥル》」とは申せ、私見《しけん》はしばし先送りさせていただきたく」

「そうおっしゃるあなたさまは、どういうお方ですかな?」参審官《さんしんかん》はたずねました。

「神学ノ学士《がくし》ニゴザリマスル」男はラテン語で応《おう》じました。

参審官《さんしんかん》はそう聞いて、なるほどと納得《なっとく》しました。身なりがいかにもそういう感じだったのです。内心でこうも思いました。「どうやら、どこぞの村で長らく先生でもやっとるのかな。ど田舎《いなか》のユラン地方あたりでは、今もこんな変《か》わり者《もの》をたまに見かけるそうだから」

「ここはお世辞《せじ》にも学びの場とは申せませんが」その男は続《つづ》けて、「なにとぞお話を

お聞かせくださいませ。むろん、ひとかたならぬ古典《こてん》のご造詣《ぞうけい》がおありでしょうな」

「ああ、多少はね」と参審官《さんしんかん》は調子を合わせました。「古典《こてん》を読むのは好《す》きですよ、それを言ったら新しい本もね。ただし最近《さいきん》の『日常物語《にちじょう》』はちょっと。日常《にちじょう》なら、現《げん》実《じつ》だけで間に合ってますよ」

「『日常物語《にちじょう》』ですか?」神学学士《がくし》がたずねます。

「ええ、新刊《しんかん》の本ですよ」

「ああ、はいはい」男はにっこりしました。「あれはなかなか気が利《き》いていますな。宮廷《きゅうてい》でも人気だとか。アーサー王と円卓《えんたく》の騎士《きし》たちを取り上げた『騎士《きし》イウェインと騎士《きし》ガウェインの物語』をハンス王がとりわけお好《す》きでね。側近《そっきん》の貴族《きぞく》がたと、物語を踏《ふ》まえたじゃれ合いもなさるそうですよ」

「ふうむ。そちらの本はまだです」と参審官《さんしんかん》は言いました。「おそらく、作家のハイベアが出したばかりの最新作《さいしんさく》ですよね」

「いえ、ハイベアではなく、ゴトフリート・アフ・ゲーメンの書いた本です」

「なんと! 愛書家《あいしょか》にはこたえられない古なじみの名前ですな。ゴトフリート・アフ・ゲーメンと言えば、デンマーク史上初《しじょうはつ》の印刷《いんさつ》業者でしょう」

「はい、そうです。わが国の最先端《さいせんたん》を行く、史上初《しじょうはつ》の印刷《いんさつ》業者ですよ」

ここまでの会話はなかなかうまくいきました。そこでコペンハーゲン市民《しみん》のだれかが、数年前にはびこった恐《おそ》ろしい疫病《えきびょう》の話を持ち出しました。数年前と言っても一四八四年のペスト大流行の話なのですが。参審官《さんしんかん》のほうでは近年のコレラ大流行の話だと思いこんで、合いの手を入れました。

近年のこととして、当然《とうぜん》ながら一四九〇年の海賊《かいぞく》の乱《らん》も話題になりました。みんなが言うには、英国《えいこく》の海賊《かいぞく》がここの港で船を片《かた》っぱしから掠奪《りゃくだつ》したそうです。参審官《さんしんかん》は一八〇一年の英国海軍《えいこくかいぐん》によるコペンハーゲン侵攻《しんこう》をよく覚《おぼ》えていましたので、うまく調子を合わせて、いっしょにイギリス人の悪口を言いました。

ですが、そのあとはどうもうまくいきません。人のよい学士《がくし》どのは、参審官《さんしんかん》にごくありふれた話をされてもほとんどご存《ぞん》じなく、とほうもない大ぼらか、突拍子《とっぴょうし》もないでたらめというふうに聞いてしまいます。おたがいに話が出てこなくなり、どんどんぎくしゃくしてきました。このほうがわかるかなというつもりで、学士《がくし》どのがラテン語に切《き》り替《か》えましたが、やっぱりうまくいきません。

そこへ出てきたおかみが参審官《さんしんかん》の袖《そで》を引いて、「ご気分はいかがですか」そう言われてはたと気づけば、話に熱中《ねっちゅう》したおかげで、さっきまでのもろもろをころっと忘《わす》れていました。

「いやはや、一体ここはどこなんだ？」改《あらた》めてそう思うと、めまいがしそうです。

「おおい、こっちにクラレットワインと蜂蜜酒《ミード》とブレーメン・ビールだ」客のだれかがどなりました。「あんたもいっしょに一杯《ぱい》やんなよ」

そこへ若《わか》い女がふたりやってきて、片方《かたほう》は二色の染《そ》め分《わ》け頭巾《ずきん》をかぶっています。ふたりでお酌《しゃく》をして回ってから、古風《こふう》に膝《ひざ》を曲げておじぎしました。それを見たとたん、参審官《さんしんかん》の背筋《せすじ》にゾッと冷《つめ》たいものが走りました。「ぜんたい何ごとだ？　何もかもどうなってるんだ？」と、うめき声しか出ませんが、今さら飲まないわけにはいきません。みんなの善意《ぜんい》に囲《かこ》まれてどうにもならず、酔《よ》いどれ呼《よ》ばわりされても疑《うたが》う気も起きません。辻馬車《つじばしゃ》を呼《よ》んでくれと頼《たの》むのが精一杯《せいいっぱい》でしたが、それすら通じなくてロシア語だろうと言われる始末《しまつ》です。

こんながさつで低俗《ていぞく》な飲み仲間《なかま》は初《はじ》めてでした！　「まるでデンマークがキリスト教になる前の大昔に戻《もど》ったみたいだ」と参審官《さんしんかん》は思いました。「人生でこんな恐《おそ》ろしい思いはしたことがない」

やがて、ふと思いつきました。テーブルの下にもぐり、戸口まではい進《すす》んでこっそり抜《ぬ》け出《だ》そう。なのに出口のすぐ手前で見つかってしまい、足をつかんで引っぱられました。ところがそこですばらしいツキに恵《めぐ》まれ、ブーツが脱《ぬ》げて――それとともに

――魔法《まほう》もすっかり解《と》けました。

視界《しかい》にくっきりあらわれたのは、正面に明るい外灯《がいとう》をつけた大きなお屋敷《やしき》でした。その屋敷《やしき》にも隣近所《となりきんじょ》の建物《たてもの》にも見覚《みおぼ》えがあります。現代《げんだい》のわたしたちにおなじみのコペンハーゲン東街《ひがしがい》でした。参審官《さんしんかん》はある家の門に足を向けて寝《ね》そべり、通りの向かいに夜警《やけい》が座《すわ》りこんで寝入《ねい》っています。

「なんとまあ！　わたしは通りに寝《ね》そべって夢《ゆめ》を見ていたのか？」と参審官《さんしんかん》は言いました。「たしかにここは東街《ひがしがい》だな。明るくて、華《はな》やかじゃないか。それにつけても、たった一杯《ぱい》のパンチであんなひどい目に遭《あ》うとはな」

二分後の参審官《さんしんかん》は辻馬車《つじばしゃ》でつつがなくクリスチャンスハウンに向かいました。先ほどの不安《ふあん》や恐怖《きょうふ》のかずかずを車中で思い返すにつけ、今の世に生まれ合わせた幸せをしみじみ感謝《かんしゃ》しました。いろんな欠点《けってん》があるとはいえ、ついさっきまで迷《まよ》いこんだ時代とは大違《おおちが》いです。参審官《さんしんかん》がそんなふうに考えるのももっともでしょう。

三．夜警《やけい》のてんやわんや

「なんだよ、あんなところにブーツが落ちてるぞ」と夜警《やけい》が言いました。「きっと、あっちの二階に住んでる中尉《ちゆうい》さんのだな。あそこんちの入口のまん前だもんな」二階の明かりはまだついていたので、正直者の夜警《やけい》は呼鈴《よびりん》を鳴らして届《とど》けてあげようとしたのですが、他の人たちを起こしては悪いと気づいて考え直しました。

「こんなのをはいたら、さぞ暖《あたた》かいだろうなあ。柔《やわ》らかい革《かわ》が吸《す》いつくようじゃないか」はいてみますと、ぴったりです。「世の中っておかしなもんだな。あの中尉《ちゆうい》さんはふかふかのベッドでのんびり寝《ね》てられるのにさ、ああして窓辺《まどべ》を歩き回って。いいご身分じゃないか。女房《にようぼう》もなし、コブもなくて夜な夜な飲み会だろ。あの人になれたらさぞ幸せだろうな」

口に出して願《ねが》うが早いかブーツがさっそく働《はたら》き、中尉《ちゆうい》の肉体と魂《たましい》に入《い》れ替《か》わった夜警《やけい》は二階の部屋にいました。中尉《ちゆうい》がついさっき自作の詩を書きつけたピンクの紙を持っています。人生に一度ぐらいは詩を書きたい気分になるじゃないですか？　そうなったら頭に浮《う》かぶままを書きとめれば、おのずと詩になるのです。その紙にはこんなことが書いてありました。

「ないものねだり」
金さえあればと、よく神さまにお祈《いの》りした
その昔、まだ天真らんまんな小僧《こぞう》のころに
金さえあれば、ぜったい軍人《ぐんじん》さんになるぞ
サーベルつきの軍服《ぐんぷく》はさぞ格好《かっこ》いいだろう
その宿願《しゅくがん》かなって晴れて士官《しかん》の地位《ちい》を得《え》た
けれど、それでも懐寂《ふところさび》しに変《か》わりはない
それでも主よ、変《か》わらずにどうかお助けを
ある夕べ、屈託《くったく》ない若者《わかもの》だったころのこと
愛嬌者《あいきょうもの》の七歳《さい》がお口にチューをしてくれた
おとぎ話の手持ちならば無尽蔵《むじんぞう》だったから
ひきかえ金の手持ちはさっぱりだったけど
それでもあの子はぼくのお話が好《す》きだって
おかげで心は豊《ゆた》かでも、懐具合《ふところぐあい》はこの始末《しまつ》
ですが、主よ、それとてあなたの思《おぼ》し召《め》し！
ああ金さえあればといまだに天に願《ねが》う日々

七歳《さい》だったあの子も、今は花咲《はなさ》くお年ごろ
心優《こころやさ》しく頭がよくて、心ばえもすてきな娘《むすめ》
わが心に秘《ひ》めおいた夢物語《ゆめものがたり》を知る由《よし》もなく
昔も今もあなたが好《す》きよの一言さえあれば
やんぬるかな、この懐具合《ふところぐあい》じゃ言い出せぬ
おお、主よ、すべてはあなたの思し召《おぼめ》しゆえ！
金さえあれば何なりと思《おも》い煩《わずら》うこともなく
この紙を悲しき繰《く》り言《ごと》に染《そ》めることもない
愛《あい》するひとよ、まだ心を向けてくれるなら
読みたまえ、若《わか》さをなくしたこの男の詩を
ただし、この胸《むね》の痛《いた》みは知らせずにおこう
貧《まず》しさに阻《はば》まれて、先行きも暗く儚《はかな》い身だ
おお主よ、せめてあの子だけは守りたまえ！

そうですね、恋《こい》という熱病《ねつびょう》に浮《う》かされた男はそんな詩を山ほど書くものですが、正気に戻《もど》れば印刷《いんさつ》させたりはしません。中尉《ちゅうい》と恋《こい》と金詰《かねづ》まり――永遠《えいえん》の三角関係《かんけい》というか、欠《か》けてしまって正方形には絶対《ぜったい》なれない三角形ですね。中尉《ちゅうい》にはそれが痛《いた》いほどわかっていました。だから窓枠《まどわく》に頭をもたせて、ため息まじりに言ったのです。

「おもての路上の、しがない夜警《やけい》のほうがおれよりははるかに幸せだよ。おれが「不足《ふそく》」と呼《よ》ぶのがどんなものか、あいつにはわかるまい。家庭があるんだから。悲しければ共《とも》に泣《な》き、うれしければ共《とも》に喜《よろこ》ぶ妻子《さいし》がいる。ああ、あの男と立場を入《い》れ替《か》われたら、今よりは幸せだろうな。あいつのほうがよっぽど恵《めぐ》まれてるんだから」

とたんに夜警《やけい》はまた夜警《やけい》になりました。これまで見てきたように、中尉《ちゅうい》になっていたのは願《ねが》いをかなえるブーツの力です。ですが、現《げん》にそうなってみるとただの隣《となり》の芝《しば》生《ふ》で、だったら元に戻《もど》りたいとなるわけです。ですから夜警《やけい》は元通りになりました。

「やな夢《ゆめ》だったな。おかしなもんだ、どうやらあの中尉《ちゅうい》さんになってたようだが、ちっとも幸せじゃなかった。いざああなればなったで、今度は死ぬかってほどキスを浴《あ》びせてくる女房《にょうぼう》子どもらが恋《こい》しくなるんだよな」

夜警《やけい》は夢《ゆめ》の世界から抜《ぬ》け出《だ》せず、またぞろ座《すわ》りこんでうとうとと船を漕《こ》ぎ始《はじ》めました。あのブーツをまだはいて、夜空の流れ星を眺《なが》めています。

「そら、ひとつ流れた」と、つぶやきます。「まだどっさりあって、そうそう減《へ》るもんじゃないが。あんな星くずをもっと近くで見たいよなあ。特《とく》にお月さんは近くで見てみたいよ、あの大きさなら、手からすべり落ちることもなさそうだし。かみさんが洗濯《せんたく》を引き受けてる学生さんに言わせりゃ、おれたちは死ぬと星から星へ飛《と》んでくんだってな。うそっぱちだろ。だがそれにしても、ちょいと一飛《ひとと》びで行けるんならさぞ面白《おもしろ》いだろうな。体のほうはこの階段《かいだん》にほったらかしでもかまうもんか」

世の中には、うかつに口に出さないように注意しないといけないことがありますね。まして願《ねが》いをかなえるブーツをはいていればなおさらです。さて、夜警《やけい》がそれからどうなったかを聞いてやってください。

蒸気《じょうき》動力を使えばどれだけ速いかは、世間のみんなが知っています。蒸気機関車《じょうききかんしゃ》で走るか、汽船で海を渡《わた》ったことはありますよね。ですがそんなもの、最速《さいそく》の競走馬《きょうそうば》より千九百万倍も速い光からすれば、のろくさいナマケモノかはいずるカタツムリみたいなものです。それでも電流には負けるんですよ。死とは心臓《しんぞう》を電気ショックにやられた魂《たましい》が、肉体を離《はな》れて電気の翼《つばさ》に乗って飛《と》び去《さ》ることです。太陽の光は二千万マイル以上《いじょう》の旅に八分強かかりますが、電気の特急《とっきゅう》に乗った魂《たましい》なら、もっと短時間で同じ距離《きょり》を飛《と》べます。魂《たましい》にとっての星間距離《きょり》は、同じ町内の友人同士《どうし》の家かそれ以下《いか》に過《す》ぎません。ただし、こういった電気ショックを心臓《しんぞう》に受けてしまえば、今の肉体はこの世ではもう使えなくなります。この夜警《やけい》のように願《ねが》いをかなえるブーツをはいていれば、話は違《ちが》ってきますが。

　月までの五万二千マイルの距離《きょり》を、夜警《やけい》はものの数秒で飛《と》び越《こ》えました。ご存《ぞん》じのように、月はわたしたちの地球よりはるかに軽い物質《ぶっしつ》でできており、新雪のようにふかふかしています。メドラー博士《はかせ》（訳註《やくちゅう》：19世紀ドイツの天文学者）の大判《おおばん》月面図で皆《みな》さんご存《ぞん》じの、月世界によくあるドーナツ形の山のひとつに夜警《やけい》は着地しました。そうした山の内側《うちがわ》はゆうに深さ四マイルもある大きなお椀《わん》になっています。お椀《わん》の底《そこ》に町がありました。卵《たまご》の白身をグラスの水に落としてみれば、この町の様子がいくらかわかるかもしれません。この町はちょうどそんな感じで白身そっくりにふわふわしていて、透明《とうめい》な塔《とう》も円屋根もテラスも何もかもが薄《うす》い空気中にたゆたっているのです。

　夜警《やけい》の頭上には、わたしたちの地球がくすんだ赤い球となって浮《う》いていました。周囲《しゅうい》には地球の男や女に相当する存在《そんざい》が、それこそうじゃうじゃいますが、見た目は地球人とまるで違《ちが》います。独自《どくじ》の言葉もありますが、まさか夜警《やけい》の魂《たましい》にわかるなんて思いもよらないでしょう。ところが月の人々の言葉は、夜警《やけい》にとてもよく伝《つた》わりました。彼《かれ》らは地球について論争《ろんそう》し、はたして住める星なのかを疑《うたが》っていたのです。地球の空気は重たくて、知的《ちてき》な月世界人にはおそらく住めたものじゃなかろうと決めつけ、住める星は月しかないと、異論《いろん》なく認《みと》めています。自分たちが昔から住んできた母なる星だからです。

　さて、このへんでまた東街《ひがしがい》へ戻《もど》り、夜警《やけい》の体がどうなったかを確《たし》かめましょう。生気の抜《ぬ》けた体は階段《かいだん》にうずくまっていました。とげとげを植えた玉つき警棒《けいぼう》が手からすべり落ち、目の向く先に正直なその魂《たましい》が目下探検《たんけん》中の月面がありました。

「今は何時かね、夜警《やけい》さん？」と、たずねたのは通行人ですが、返事はありません。ならばと指でごくかすかに夜警《やけい》の鼻をはじいたら、そのままのめって倒《たお》れ、大の字に舗道《ほどう》にのびてしまいました。死んでいるのです。しかもそのまま生き返らなかったので、鼻をはじいた人の驚《おどろ》きようといったらありません。すぐ警察《けいさつ》に届《とど》けが出て捜査《そうさ》が始まり、明け方に病院へ遺体《いたい》を収容《しゅうよう》しました。

　かりに魂《たましい》が帰ってきて東街《ひがしがい》で自分の体をさんざん探《さが》し回《まわ》っても、見つからなければさぞ妙《みょう》な行《い》き違《ちが》いが起きたことでしょう。場合によってはまず交番へ、そこでだめなら落とし物広告《こうこく》登記所へ寄《よ》ったでしょうね。どこもお手上げなら最後《さいご》の行き先は病院でしょう。ですが、そんな心配はご無用《むよう》に。魂《たましい》そのものは賢《かしこ》いので、そういうしくじりをするのはもっぱら肉体です。

　さきに申しましたように、夜警《やけい》の体は病院に運ばれました。そうして霊安室《れいあんしつ》で清《きよ》めるにあたって、当然《とうぜん》ながら手始めにあのブーツが脱《ぬ》がされました。おかげで魂《たましい》はあたふたと戻《もど》るはめになり、夜警《やけい》はまたたくまに息を吹《ふ》き返《かえ》しました。生き返ると、こんな恐《おそ》ろしい思いをした夜は初《はじ》めてだ、見回り賃《ちん》の銅貨《どうか》二枚《まい》とひきかえに同じ目に遭《あ》うのは誓《ちか》ってごめんだと言いました。でも、どのみち二度とありえませんけどね。夜警《やけい》はその日のうちに退院しましたが、あのブーツは病院に置《お》き去《ざ》りにされました。

四. 危《あぶ》ない橋と、驚《おどろ》きの綱《つな》渡《わた》り

コペンハーゲンにあるフレズレクス病院の玄関《げんかん》は、勝手知ったるコペンハーゲンの皆《みな》さまには説明《せつめい》不要《ふよう》ですね。それでも、コペンハーゲン生まれでない人もこのお話を読まれるでしょうから、ここで簡単《かんたん》に説明《せつめい》しておかないわけにはいきません。

同病院の道路《どうろ》側《がわ》にある鉄柵《てつさく》は太い鉄棒《てつぼう》が立《た》ち並《なら》び、かなり高いです。ただし棒《ぼう》のすきまはお世辞《せじ》にもゆったりとは言えず、ガリガリに痩《や》せたインターン生が相当の無理《むり》をしてなんとか出られるかというところです。通《とお》り抜《ぬ》けが特《とく》に難《むずか》しいのは頭ですね。この点だけは世に言う、「世に出るには小さい頭がいちばん」がいろんな意味で当てはまります。こんなところで前置《まえお》きの説明《せつめい》には足りるでしょう。

その晩《ばん》の当直は若《わか》いインターン生のひとりで、物理的《ぶつりてき》な意味の「頭でっかち」でした。おもては大雨です。こうした困難《こんなん》をものともせず、十五分ほど外出せざるをえない用事がありました。わざわざ門の守衛《しゅえい》に申し出なくても、なんとか鉄棒《てつぼう》のすきまを抜《ぬ》けられれば楽勝だと思ったんですね。あの夜《や》警《けい》が忘《わす》れていったブーツがそこらに置《お》いてあり、まさか願《ねが》いをかなえるとまではわかりませんが、悪天候《あくてんこう》におあつらえむきなのはわかります。そこで、さっそくはきました。さて、お次は柵《さく》のすきまをうまく抜《ぬ》けられるかどうかで、今回が初挑戦《はっちょうせん》になります。柵《さく》と向き合い、いよいよです。

「神さま、どうか頭が外に出ますように」そう口にしたとたん、頭のほうが柵《さく》のすきまよりだいぶ大きいのに、ごくあっさりと通りました。なにせ、あのブーツのやることですから。あとは胴体《どうたい》ですが、これがどうにもなりません。「ううう っ!」などと苦しい息をついて、「太りすぎだ。最大《さいだい》の難関《なんかん》は頭だと思っていたのに。うーん、やばい。どうしても通れない」

急いで頭を引っこめにかかったものの、そうは問屋がおろしません。首はゆるゆるですが、楽なのはそこまでです。初《はじ》めのうちはやたらとかっかし、やがてやる気が急降下《きゅうこうか》です。願《ねが》いをかなえるブーツのせいで、とんだはりつけの刑《けい》にされ、あいにくなことに脱出《だっしゅつ》を願《ねが》うという発想が出てきません。願《ねが》わずに、ただじたばたしてたんじや、ずっとその場に釘《くぎ》づけなんですけど。しかも大雨、おもての路上は無人《むじん》ですし正門の呼鈴《よびりん》にも手が届《とど》きません。いったいどうすれば出られるのか？　このままでは間《ま》違《ちが》いなく朝までここで過《す》ごし、朝になったら鍛冶屋《かじや》を呼《よ》んでもらって、やすりで鉄棒《てつぼう》を切ってもらうしかありません。おそらく時間がかかるでしょう。通り向かいの学校の男の子全員と、ニーボーザ海《かい》軍居住区《ぐんきよじゆうく》の水兵《すいへい》どもが寄《よ》ってたかって、時ならぬさらし者をわあわあはやしたてるでしょう。それこそ去年のレスリング大会より大勢《おおぜい》の見物人を集めてしまいそうです。

「うううううっ！」ぜいぜいと息を荒《あら》げながら、「のぼせがひどい。気が狂《くる》いそうだ！　本気でそうなっちまう！　ああ、このはりつけ状態《じようたい》から抜《ぬ》け出《だ》せないかな

あ、そうすれば元通り元気になれるのに」

初《はじ》めからそう言えばよかったのにね。口に出して言うが早いか頭がするりと抜《ぬ》け、願《ねが》いをかなえるブーツから受けた仕打ちでまだ取《と》り乱《みだ》したインターン生はいちもくさんに院内へ逃《に》げこみました。ですが、これでひと安心とか思わないでくださいね。それどころか！　まだこれからですよ。

その晩《ばん》が過《す》ぎて、翌日《よくじつ》の夜になってもあのブーツの持ち主はあらわれません。その晩《ばん》は司教街《キャニケがい》の小劇場《しょうげきじょう》で朗読会《ろうどくかい》があり、満員《まんいん》の観客《かんきゃく》の中にわれらがインターン生もいて、どうやら昨夜《さくや》の一件《けん》からはすっかり立ち直ったようです。またあのブーツをはいています。落とし主は結局《けっきょく》あらわれないし、ゆうべの雨でぬかるんだ道では大活躍《だいかつやく》してくれると思ったわけですね。

劇場《げきじょう》では新作のおひろめがありました。中身をかいつまんで言うと、こうです。

「おばあさんのめがねは、かければもれなく他人の顔から未来《みらい》を読みとる力をくれる。まるでタロットカードの占《うらな》い師《し》みたいに」

この作品にインターン生は心をわしづかみされました。ぼくにもそんなめがねがほしい。使いようでは、人の心をのぞけそうじゃないか。来年にありそうなできごとなんかより、そのほうがよっぽど面白《おもしろ》いよ。来年のことはいずれ時がくればわかるけど、人の内心の本音はそういかないもんな。

「見ろよ、最前列《さいぜんれつ》に居並《いなら》ぶ紳士淑女《しんししゅくじょ》を」などと、こっそり考えます。「あの人たちの心をじかにのぞければなあ――どれもこれも、いろんなものがぎっしり並《なら》んだ大きな店みたいだろうな。そこを気ままに見て回るんだ。どうせ女心なんて、みんな婦人《ふじん》ものの帽子屋《ぼうしや》そっくりなんだろうけど。あの席《せき》にいる人の店はスカスカだろうけど、大《おお》掃除《そうじ》したってバチは当たらんだろ。もちろん品ぞろえが充実《じゅうじつ》した店もあるよ。あーあ」と、ため息をついて、「どれをとっても最高級品《さいこうきゅうひん》ばかりって店もひとつは知ってるし、ぜひお近づきになりたいんだけど――やんなっちゃうな、まったく――店のだんなはもう決まってて、そいつの在庫《ざいこ》は不良品《ふりょうひん》ばっかりだ。あの心に入れてほしいって人はそれこそ掃《は》いて捨《す》てるほどいるし、ぼくだってできれば入りたいよ。そしたらちょっとした名案《めいあん》みたいに、するっと入りこんでささっと出てくるのに」

あのブーツはその通りにしてやりました。インターン生はみるみる小さくなって肉《にく》眼《がん》では見えなくなり、最前列《さいぜんれつ》の観衆《かんしゅう》の心をはしごする奇天烈《きてれつ》な旅が始まりました。第一号はあるご婦人《ふじん》ですが、変形《へんけい》した人体の手足の石膏《せっこう》ギプスが壁《かべ》にずらりとかかっており、ぱっと見れば接骨院《せっこついん》か病院の整形外科《げか》にでも迷《まよ》いこんだかと思いそうです。ひとつだけ違《ちが》うのは、病院では来院時に作るギプスを、心では友だちと疎遠《そえん》になってから作って永久保存《えいきゅうほぞん》するのです。そこにかかっていたのはこの婦人《ふじん》の元お友だちの心身の不具合《ふぐあい》にはめられ、お付《つ》き合《あ》いが絶《た》えてしまってから後生大事《ごしょうだいじ》にしまいこまれたギプスばかりでした。

他の婦人《ふじん》の心へあたふた逃《に》げこむと、そちらは神聖《しんせい》な大聖堂《だいせいどう》のようでした。無垢《むく》な白鳩《しろばと》が祭壇《さいだん》に遊んでいます。次の心があとに控《ひか》えていなければ思わずひざまずくところでしたが、オルガンの音は聞こえてきます。おかげで自分が前よりすがすがしく生《う》まれ変《か》わって、お次の聖所《せいじょ》に入ってもまんざら無作法《ぶさほう》ではないという気がしました。こちらはうらぶれた屋根裏《やねうら》部屋で、病気の母が寝《ね》ています。それでも窓《まど》からふんだんに入る陽《ひ》ざしで暖《あたた》められた明るい部屋です。屋根にしつらえた小さなプランターにはきれいなバラが咲《さ》き匂《にお》い、つがいの青い鳥が子ども時代の幸せを歌い上げる中で、病床《びょうしょう》の母は娘《むすめ》の幸せを祈《いの》っています。

お次にはいこんだ先は、人ごみでごった返す肉屋の店先でした。どっちを向いても肉、肉、肉だらけ、肉々《にくにく》しい心の持ち主はだれだろうとのぞいてみれば、紳士録《しんしろく》にも載《の》るような人望《じんぼう》あるお金持ちでした。

お次はその奥《おく》さんです。くずれかかった古い鳩小屋《はとごや》があって、屋根で風見鶏《かざみどり》のかわりをしているのは夫《おっと》の肖像画《しょうぞうが》でした。その絵はすべてのドアにつながっていて、どれかを開閉《かいへい》するたびにご主人が回るしかけになっていました。

その次の心はローセンボー城《じょう》にあるような鏡《かがみ》の間《ま》ですが、ここの心の鏡《かがみ》はどんなものでも大げさに拡大《かくだい》して映《うつ》し出《だ》します。持ち主のみみっちいエゴは中央でダライ・ラマのようにふんぞり返り、鏡《かがみ》に映《うつ》る大きな自分にずっと見とれていました。

その後に入りこんだのは、とがった針《はり》だらけの狭《せま》い針箱《はりばこ》でした。「いきおくれの女だよ、絶対《ぜったい》」ところが全然違《ぜんぜんちが》いました。うんと若《わか》いうちに頭角をあらわして勲章《くんしょう》をいくつももらった軍人《ぐんじん》で、みんなからは「知将《ちしょう》でありながら懐《ふところ》が深い」と褒《ほ》めそやされている人です。

最前列《さいぜんれつ》の心を見終えるころには、気《き》の毒《どく》にインターン生はふらふらでした。疲《つか》れきってまともにものを考えるのも無理《むり》なほどで、自分の強い想像力《そうぞうりょく》にすっかり祟《たた》られちまったなあという自覚《じかく》だけはありました。

「もうもう、やってられるか」と、うめき声をあげます。「このままじゃ狂人《きょうじん》まっしぐらだよ。しかもなんなんだ、ここのひでえ暑さは。おかげでのぼせちまうだろ」ここで唐突《とうとつ》に思い出したのが、ゆうべ、病院の柵《さく》に頭がはまってじたばたした一件《けん》です。

「きっと、あれがいけなかったんだ」と思いました。「手遅《ておく》れになる前になんとかしないと。ロシア風のサウナなんかよさそうだ。今すぐ入って、最上段《さいじょうだん》にいられればなあ」

すぐさま言った通りになり、インターン生は蒸《む》し風呂《ぶろ》の最上段《さいじょうだん》に寝《ね》ていました。とはいえ、服は脱《ぬ》がず、自分の靴《くつ》の上からあのブーツを重ねばきしたままの格好《かっこう》です。水蒸気《すいじょうき》が熱《あつ》いしずくとなって、天井《てんじょう》からぼたぼた落ちてきました。

「うわあ！」インターン生は大声をあげて飛《と》び降《お》り、シャワーを浴《あ》びに行きました。服を着こんだ男がいきなり出てきたので、風呂番《ふろばん》の男もびっくりして大声を出します。でもインターン生のほうはすぐ気を取り直して、ひそひそと打ち明けました。「実は今、賭《か》けをしててさ」

ただし、下宿に戻《もど》るとすぐにあつあつの温湿布《おんしっぷ》を首と背中《せなか》に貼《は》り、狂気《きょうき》を起こす毒素を吸《す》いだそうとしました。

背中《せなか》の湿布《しっぷ》は朝までにやけどの水ぶくれになっていました。願《ねが》いをかなえるブーツが残《のこ》した唯一《ゆいいつ》の置《お》き土産《みやげ》です。

五．書記の変身《へんしん》物語

あの夜警《やけい》は――ご記《き》憶《おく》ですよね――拾ったブーツをどうやら病院にはいて行ったら

しいと後から気づいて取りに行きました。ですがあの中尉《ちゅうい》はじめ、持ち主だと名乗り出る人が皆無《かいむ》でしたので、交番へ届《とど》け出《で》ました。

「ぼくのブーツそっくりだ」警察勤務《けいさつきんむ》のある書記が、自分のと並《なら》べました。「靴屋《くつや》でも、この二足の見分けはつかないよ」

「書記さん、ちょっといいですか!」と、そこへ巡査《じゅんさ》が書類《しょるい》を持ってきました。

書記はそっちに向いて話し、その後にまたブーツを見たら、右と左のどっちが自分のだか見分けがつかなくなっていました。

「濡《ぬ》れてるほうがぼくのだ」と思いましたがあべこべでした。濡《ぬ》れているのが願《ねが》いをかなえるブーツだったのです。警察《けいさつ》にも手違《てちが》いはあるんですね。

書記はブーツをはいて書類《しょるい》をポケットに入れ、帰宅《きたく》後にいちおう見た上で清書《せいしょ》する草稿《そうこう》を小脇《こわき》に抱《かか》えて署《しょ》を出ました。ですが、たまたま日曜日の午前中で、すがすがしく晴れています。そこで、「フレズレクスビェア公園を散歩《さんぽ》すれば体にいいかな」と思い立って出かけていきました。

この青年くらい静《しず》かでまじめな人はめったにいません。ですから、息抜《いきぬ》きに散歩《さんぽ》ぐらいはどうぞどうぞです。長時間のデスクワークには絶対《ぜったい》に効《き》くはずですから。初《はじ》めは無心《むしん》に歩いていたので、ブーツの魔力《まりょく》に出番はありませんでした。そうして並木道《なみきみち》で知人の若《わか》い詩人にばったり出くわし、明日から夏の旅行に出かけるんだと聞かされました。

「へえ、こないだ行ったばかりなのにまた？」と書記は言いました。「君は恵《めぐ》まれた自由人だねえ。気の向くままにどこでも好《す》きな所へ飛《と》んで行《い》けるなんて。ひきかえ、ぼくらは鎖《くさり》で足をつながれた身の上だ」

「その鎖《くさり》の先にあるのはパンの木だけだろう」と詩人は答えました。「だから明日のパンを思《おも》い悩《なや》まなくていいし、年をとれば恩給《おんきゅう》がついてくるじゃないか」

「君のほうが恵《めぐ》まれてるよ」と書記は言いました。「ただ座《すわ》って詩を書くだけなんて楽でいいじゃないか。みんなにちやほやされて、むやみに上役の機嫌《きげん》取《と》りをしなくてもいい。そうだ、なんなら裁判所《さいばんしょ》のささいな事件《じけん》に立ち会ってみて、一生そこで働《はたら》くのがどんな気分か確《たし》かめてみるといいよ」

詩人はかぶりを振《ふ》り、書記も同じようにして、どちらもあくまで譲《ゆず》らずに別《わか》れていきました。

「詩人って本当に変《か》わった人種《じんしゅ》だよな」書記は考えました。「ぼくも詩人の仕事に手を染《そ》めてみたい――詩人になりたいよ。ぼくだったら絶対《ぜったい》に、おおかたの詩人みたいな、じめじめした詩は書かないぞ。今日みたいなうららかな春の日こそ、詩にはぴったりだよ。空気はあくまで澄《す》み渡《わた》り、空をゆく雲さえ美しく、地にかぐわしい草いきれ。長年ついぞなかったほど、今この時は最高《さいこう》だ」

早くも詩人になっちゃったみたいですね。どこがどうという変化《へんか》はありません。詩人が他とかけ離《はな》れた人たちだとみなすのは、この上なくばかげています。なにも本《ほん》職《しょく》の詩人でなくても、名だたる大詩人多数よりはるかにすぐれた詩心を生まれつき持った人はいるのですから。詩人のどこが主に違《ちが》うかというと、詩人は心象風景《しんしょうふうけい》を人よりよく覚《おぼ》えており、ある情緒《じょうちょ》が明晰《めいせき》な言葉になって自分の中に根づくまで、他の人にまねできないほどしっかりと保《たも》っていられる点にあります。ですが、淡々《たんたん》とした実用向きの人が詩人風に話せば目立ちますよね。ちょうど、この書記君にあらわれた変化《へんか》みたいに。

「なんという大気のかぐわしさか！　ローネ叔母《おば》さんのスミレを思い出すなあ。いやあ、うんと小さなころ以来《いらい》、あのスミレにはとんとごぶさただ。優《やさ》しい人だった！取引所の裏《うら》に住んでたっけ。一輪挿《いちりんざ》しの花か、緑に芽吹《めぶ》いた葉を数本まとめて活《い》けたのを、どんなにきびしい冬でも絶《た》やさなかった。あのスミレの匂《にお》いがする部屋で、ぼくは温めた銅貨《どうか》を霜《しも》のついた窓《まど》ガラスに当てて、のぞき穴《あな》をいくつも作ったよ。そこからの眺《なが》めはもう――凍結《とうけつ》した運河《うんが》にとらわれた無人《むじん》の船にカラスが船員気取りでけたたましく鳴いていた。だけど春風が立つころには、にわかに活気づく。大きなかけ声や笑《わら》い声《ごえ》を合図に氷が切《き》り離《はな》され、タール塗《ぬ》りや帆綱《ほづな》をやり直してピカピカになった船が遠い国々めざして大海原《おおうなばら》に乗り出していった。ぼくのほうはここを動かず、ずっと警察署《けいさつしょ》にいて、外国行きのパスポートをもらいに来る人たちの応対《おうたい》をしないといけない。それがぼくのさだめなのか！　ああ、そうとも！」と、大きくため息をついたところでぴたりと止まりました。「ああまったく！　われながらどうしちゃったんだろう。こんなの、今まで考えも感じもしなかったのに。きっと春の空気のせいだ！空恐《そらおそ》ろしさとワクワクが同居《どうきょ》してる感じかな」と、ほうぼうのポケットを探《さぐ》って書類《しょるい》を出しました。

「別《べつ》のことで気分を変《か》えよう」と、一ページめを見ました。「五幕《まく》もの悲劇《ひげき》　シグブリト夫人《ふじん》」と読み上げます。「なんだこりゃ？　しかもぼくの字で書いてある。こんな悲劇《ひげき》を書いたっけ？『胸壁《きょうへき》での密談《みつだん》、あるいは四旬節《レント》の断食《だんじき》――演芸場《えんげいじょう》向け』。こんなのどこで？　だれかがぼくのポケットに入れたんだろう。お、手紙がついてる」差出人《さしだしにん》は劇場《げきじょう》の支《し》配人《はいにん》です。いたってぞんざいに「あんたの戯曲《ぎきょく》はいらん」と書いてありました。

「へん！」と、書記はベンチに腰《こし》かけました。頭がいろいろと活性化《かっせいか》したおかげで、なにかと感じやすくなっています。行き当たりばったりで花を摘《つ》んだら、ありふれた小さなヒナギクでした。植物学者が何時間もかけて説明《せつめい》することを、この花はほんの一瞬《いっしゅん》で教えてくれます。謎《なぞ》めいた生まれ方、繊細《せんさい》な花びらを開いて香《かお》りを引き出してくれるお日さまの力のことを。そこで生存競争《せいぞんきょうそう》ということに思《おも》い至《いた》った書記は、みんなと同じように共感《きょうかん》を呼《よ》びさまされました。空気と光はどちらも花の恋人《こいびと》ですが、光のほうが花のお気に入りです。ですから常《つね》に光のほうへ向き、光が消えればようやく花びらを閉《と》ざし、空気に抱《だ》かれて眠《ねむ》るのでした。

「わたしの美しさを引き出すのはお日さまよ」と花は言いました。

「でもね」詩人がささやきます。「空気があるから息がつけるんだよ」

そのへんにいた男の子が、ぬかるむ側溝《そっこう》の水面を棒《ぼう》きれで叩《たた》きました。飛《と》び散《ち》ったしぶきが緑の枝《えだ》にはね、水滴《すいてき》もろとも高く宙《ちゅう》を舞《ま》った無数《むすう》の微生物《びせいぶつ》のゆくえが気遣《きづか》われます。水滴《すいてき》の大きさからすれば、わたしたちが雲の上に投げ上げられたに等しい高さでしょう。書記はこんなふうに考えながら自身の変《か》わりように気づき、ふっと和《なご》んだ顔になりました。

「きっと眠《ねむ》って夢《ゆめ》でも見てるんだな。でも、夢《ゆめ》にしたってごく自然《しぜん》なのがすばらしいし、夢《ゆめ》だという自覚《じかく》もある。朝になって目が覚《さ》めても、この夢《ゆめ》だけはずっと覚《おぼ》えていたいよ。いつになく朗《ほが》らかな気分だ、頭がすごく冴《さ》え、視界《しかい》の霧《きり》が晴れたみたいだ！　だけど、これまでよくあったように、目が覚《さ》めた時にあとから思い出すと、何もかもただのたわごとになってしまう。夢《ゆめ》の中で言ったり言われたりした名案《めいあん》や気の利《き》いた話なんて、地下に住む妖精《ようせい》の黄金と同じだよ。手の中でいかにもひと財産《ざいさん》みたいに光るけど、昼間はただの石ころや枯《か》れ葉《は》に変《か》わる。ああ！」と、楽しそうに枝渡《えだわた》りしながらさえずる小鳥たちを見上げて、ため息が出ます。「小鳥たちのほうがはるかに恵《めぐ》まれてるなあ。飛《と》べるって立派《りっぱ》だし、生まれつき翼《つばさ》があるのもうらやましい。ああそうとも、なんでもぼくの好《す》きなものになれるなら、かわいいヒバリになりたいね」

またたくまに上着のすそと両袖《りょうそで》がくっついて翼《つばさ》になり、洋服は羽に、あのブーツは鉤爪《かぎづめ》になりました。書記は何に変《か》わったかはっきり悟《さと》るや、腹《はら》の中で大笑《おおわら》いしました。「そら、やっぱり夢《ゆめ》だったんだ。それにしても、こんなばかばかしい夢《ゆめ》は見たことがない」

ぱっと飛《と》びたって緑の枝《えだ》でさえずりましたが、その歌に詩はありませんでした。もう詩人ではないからです。あのブーツの仕事ぶりは徹底《てってい》していて、一度にひとつしかしません。書記は詩人になりたいと言い、詩人になりました。今度は小鳥になりたいと言い、小鳥になるかわりに前の性質《せいしつ》をなくしてしまったのです。

「こいつは面白《おもしろ》いことになった」と書記は言いました。「昼間は署《しょ》で無味《むみ》乾燥《かんそう》な事件《じけん》の中に埋《う》もれ、夜はヒバリになってフレズレクスビェア公園を飛《と》びまわる夢《ゆめ》を見るとは！　喜劇《きげき》に仕立てれば、さぞかし大人気だろう」

こんどは芝生《しばふ》に舞《ま》い降《お》りて頭をあちこちひねりながら、風にそよぐ芝草《しばくさ》をくちばしでつつきました。今の自分に比《くら》べれば、その草は北アフリカのシュロの枝《えだ》ぐらいあります。ところが、そうして遊んでいたのはほんの一時でした。あたりがまっ暗になり、何か巨大《きょだい》なものが落ちてきました。ニーボーザ区のいたずら小僧《こぞう》がぶかぶかの帽子《ぼうし》を投げたのです。片手《かたて》が帽子《ぼうし》の下にさしこまれ、書記の背中《せなか》と翼《つばさ》をまとめてわしづかみして力をこめたので、鳥のほうはピイピイ悲鳴をあげました。震《ふる》えあがって大声で、「この無作法《ぶさほう》ものめ！　ぼくは警察署《けいさつしょ》の書記だぞ！」それなのに男の子の耳にはピイ！　ピイ！　としか聞こえないので、静《しず》かにしろとくちばしを叩《たた》かれた上で連《つ》れ去《さ》られました。

大通りに出たところで、学童ふたりに行き会いました。社会的《しゃかいてき》にはふたりともいい家のお坊《ぼっ》ちゃんですが、しつけや素行《そこう》の面では学校の底辺《ていへん》です。ヒバリはその子たちに銅貨《どうか》八枚《まい》で買い取られ、コペンハーゲン市内のゴータス大通り沿《ぞ》いのお屋敷《やしき》に連《つ》れて行《い》かれたのでした。

「夢《ゆめ》でよかったなあ」書記は言いました。「さもないと怒《いか》りのやり場がなかったよ！　はじめは詩人で、こんどはヒバリか。なまじ詩人の素質《そしつ》に目覚《めざ》めたばっかりに、こんな小鳥になってしまった。情《なさ》けないじゃないか、特《とく》にこんなガキどもふたりの手に落ちるなんて。それにしても、この先どうなることやら」

子どもたちがヒバリを持って行ったのは贅沢《ぜいたく》な部屋で、ずんぐりした奥《おく》さんに笑顔《えがお》で迎《むか》えられました。そこらの野鳥の持ちこみには渋《しぶ》い顔をされましたが、その日だけは大目に見てもらえることになり、窓辺《まどべ》の空の鳥かごに入れときなさいと言われました。

「ポリーちゃんが気に入るんじゃないかしら」と、ごてごてした真鍮《しんちゅう》の鳥かごで輪《わ》っかにつかまってブランコしている、おすまし顔の大きなオウムに笑顔《えがお》を向けました。「今日はねえ、ポリーちゃんのお誕生日《たんじょうび》なのよお」と、わざとらしい猫《ねこ》なで声《ごえ》を出して、「だから、野良《のら》の小鳥がわざわざお祝《いわ》いにきてくれたのねえ」

当のポリーちゃんはあいかわらず知らん顔でブランコしていますが、かぐわしい南の国から去年の夏に連《つ》れてこられたカナリアが高らかに歌い始めました。

「うるさい！」と、奥《おく》さんは白いハンカチをカナリアのかごにかぶせてしまいました。

「ピイ、ピイ。ひどい吹雪《ふぶき》だね」カナリアはため息をついて、それっきり黙《だま》ってしまいました。

書記は――というか、奥《おく》さん流に呼《よ》ぶと野良《のら》の小鳥ですか――カナリアのすぐ隣《となり》でオウムにも近い小さな鳥かごに入れられました。このオウムがしゃべれる人間の言葉がひとつだけありまして、「さあさ、おいらを人間にしてもらおうか」、これが非常《ひじょう》にこっけいな効果《こうか》をあげることがよくありました。あとはどれもこれもカナリアのさえずりと同じで、意味不明《いみふめい》の雑音《ざつおん》です。ただし、こうして小鳥になった書記には同じ鳥の言うことがよくわかりました。

「昔のぼくは、緑のシュロや花咲《はなさ》くアーモンドの林で遊んでいたよ」と、カナリアは歌いました。「兄さんや姉さんたちといっしょにきれいな花の上を飛《と》び、底《そこ》にたなびく水草をひそめた鏡《かがみ》の湖の上を飛《と》んだ。きれいなオウムもたくさんいてね、とびきり長くて楽しい話をたくさんしてくれた」

「そいつらは野良《のら》オウムだろうが！」オウムがけなします。「無学《むがく》な鳥どもさ。さあさ、おいらを人間にしてもらおうか。あんた、なんで笑《わら》わないんだよ？　おれがこう言えば、奥《おく》さんやお客さんはみんな笑《わら》うんだ、あんたもそうしな。しゃれがわかんないんじゃ残念《ざんねん》にもほどがあるよ。さあさ、おいらを人間にしてもらおうか」

「覚《おぼ》えているかい、あの花咲《はなさ》く木陰《こかげ》の天幕《てんまく》で踊《おど》った美女たちを？」カナリアが歌います。「覚《おぼ》えているかい、甘《あま》くおいしい果物《くだもの》を、野生の木々の冷《つめ》たい樹液《じゆえき》を？」

「そりゃあ覚《おぼ》えているともさ」オウムは言いました。「だけど、おれはここで暮《く》らすほうがずっといい、エサもあるし、凝《こ》ったおやつも最高級《さいこうきゆう》だからね。頭がいいから、ないものねだりはしないんだ。さあさ、おいらを人間にしてもらおうか。あんたはいわゆる詩人らしいが、おれにはまともな知識《ちしき》や機知《きち》がある。あんたは天才だが、空気を読めないのがね。即興歌《そつきようか》でキンキン声を出しすぎて、人間どもに布《ぬの》をかぶせられちまう。おれは一度もそんな目に遭《あ》ったことないよ。ずいぶん値段《ねだん》が張《は》る鳥だし、もっと大事なのは、このくちばしも機知《きち》も鋭《するど》いからな。さあさ、おいらを人間にしてもらおうか」

「ああ、花咲《はなさ》く南のわがふるさと！」カナリアは歌いました。「緑したたる密林《みつりん》と、鏡《かがみ》のおもてが垂《た》れ枝《えだ》のキスで波立つ静《しず》かな入江《いりえ》のために歌おう。喜《よろこ》びつどい、砂漠《さばく》に茂《しげ》るサボテンの杯《さかずき》を干《は》す、きらびやかな兄弟姉妹《しまい》のために歌おう」

「そんなお涙《なみだ》ちょうだいの歌はよしな」と、オウム。「愉快《ゆかい》に笑《わら》える歌にしてほしいね。笑《わら》いは知性《ちせい》の発達《はつたつ》が頂点《ちようてん》にある証拠《しようこ》だよ。犬や馬が笑《わら》うか？　泣《な》けはするが笑《わら》うのは無理《むり》だろ。笑《わら》いはね──人間だけの特権《とつけん》なんだ。ほっほっ！」オウムは笑《わら》いながら、いつもの決めゼリフを吐《は》きました。「さあさ、おいらを人間にしてもらおうか」

「デンマークの灰色《はいいろ》の小鳥君！」カナリアに呼《よ》びかけられました。「君もかごの鳥かい？　お国の森はきっと寒いだろうね。でも、自由がある。飛《と》んでお逃《に》げ！　君のかごはうっかり戸を開けっぱなしだ。上の窓《まど》が開いてるよ。さあ、逃《に》げるんだ！　逃《に》げて！」

書記は迷《まよ》わずカナリアの言う通りにしました。そうして軽《かろ》やかにかごを出たとたん、隣室《りんしつ》の半開きのドアがぎいっと開き、緑の目を光らせたネコが忍《しの》びこんでヒバリに襲《おそ》いかかりました。カナリアはかごの中を逃《に》げ回《まわ》り、オウムは翼《つばさ》をばたつかせて、ずっと大声で、「さあさ、おいらを人間にしてもらおうか」と、わめきたてます。書記は死ぬほどびっくりして窓《まど》から逃《に》げ出《だ》し、屋根を越《こ》え、通りを越《こ》えて、とうとう飛《と》んでいられなくなるまで、力の限《かぎ》り逃《に》げのびました。

通りの向かいの並《なら》びにどこか懐《なつ》かしい家があります。開いていた窓《まど》がひとつあり、そこから中へ飛《と》びこみました。テーブルに着地してみれば、そこは自分の部屋ではありませんか。

「さあさ、おいらを人間にしてもらおうか」ふとオウムの口まねが出ました。とたんに書記の姿《すがた》に戻《もど》ったのはいいとして、鳥そっくりにテーブルのふちに座《すわ》っています。

「まったくもう、どうなってんだよ」と、書記はこぼしました。「この上にあがって寝《ね》ようとしてたのかな？　最初《さいしょ》から最後《さいご》まで不条理《ふじょうり》だらけで、なんとも不安《ふあん》になる夢《ゆめ》だったなあ」

六、いちばんの幸せ

あくる朝、書記がまだ寝《ね》ているうちからドアを叩《たた》く人がいます。やってきたのは、同じ階に住んでいる神学生でした。

「なあ、君のブーツを貸《か》してくれよ」と頼《たの》みます。「庭の水はまだ引かないが、なにしろいいお日和《ひより》だ。外でパイプを一服やりたくてさ」

神学生はさっそくそのブーツを借《か》り受《う》けて庭へ出ました。スモモとナシの木が一本ずつあり、広くもない庭でも、コペンハーゲンのような大都会では貴重《きちょう》です。やっと六時になったばかりです。神学生が庭の小道を何往復《なんおうふく》か歩き回っていると、通りから駅馬車のラッパが聞こえてきました。

「ああ、行きたいなあ、旅に！」神学生は大声を上げました。「人生最大《さいだい》の幸せと言ったら旅だよね。見果《みは》てぬ夢《ゆめ》の終着点というか。旅にさえ出られれば、この内なる焦燥感《しょうそう》も静《しず》められる。ただし思い切って、うんと遠くでないと。あの美しいスイスに行けたらなあ、それからイタリアだよね――」

即座《そくざ》にブーツが作用したのは幸いでした。さもないと遠くへ行きすぎて本人も困《こま》ってしまうし、わたしたちもお話を楽しめなくなるところでした。他に八人の旅行者といっしょくたに馬車に詰《つ》めこまれて、山国のスイスへのぼっていきます。おかげで頭《ず》痛《つう》やら、首のだるさやら、脚《あし》のむくみやらでまあ大変《たいへん》です。ひどくむくんだ両足が厚いブーツに当たって靴《くつ》ずれを起こし、頭はぼうっとして寝《ね》ているか起きているかわかりません。右ポケットには旅行者向け信用状《しんようじょう》、左ポケットには旅券《りょけん》、そして胸《むね》ポケットの小さな革財布《かわざいふ》には金貨《きんか》数枚《すうまい》が縫《ぬ》いこまれています。うとうとしそうになるたびに、この三つの貴重品《きちょうひん》のどれかがなくなったような気がしました。そのたびに熱《ねつ》に浮《う》かされたようにはね起きて、まっさきに片手《かたて》で三角形を描《えが》くように右、左、胸《むね》の上の順《じゅん》に動かし、お宝《たから》の無事《ぶじ》を確《たし》かめるのでした。

頭上の網棚《あみだな》にはこうもりがさとステッキと帽子《ぼうし》が揺《ゆ》れているせいで、せっかくの絶《ぜっ》景《けい》もろくに楽しめません。車窓《しゃそう》の景色《けしき》をちらりと見るだけでも気分が昂揚《こうよう》し、心の中で詩を口ずさんでいました。いちおう、皆《みな》さんご存《ぞん》じのある詩人（訳註《やくちゅう》：アンデルセンのこと）がスイスで作った詩ではありますが、ここにあげたのは未刊行《みかんこう》作品です。

あたう限《かぎ》りの絶景《ぜっけい》また絶景《ぜっけい》よ
モンブランの麗姿《れいし》に疑義《ぎぎ》なし
漂泊《ひょうはく》の旅人こそわが本望《ほんもう》なり
ただひたすら資金《しきん》の続《つづ》く限《かぎ》り

どっちを向いても、雄大《ゆうだい》で厳粛《げんしゅく》で重厚《じゅうこう》な大自然《だいしぜん》です。遠目にヒースの茂《しげ》みのようなモミの森をあしらった高い岩山は濃霧《のうむ》と雲に埋《う》もれ、雪が降《ふ》りだせば、アルプスおろしに吹《ふ》きとばされそうになります。

「うひゃあ」神学生はため息をつきました。「アルプスの向《む》こう側《がわ》へ行けたらなあ。そっちはきっと夏の陽気だろうし、この信用状《しんようじょう》を現金化《げんきんか》できる。懐具合《ふところぐあい》のことでずっとやきもきしてたんじゃ、せっかくのスイスの景色《けしき》をおちおち見てられないよ。ああ、向《む》こう側《がわ》へ行けたらなあ」

するとあっという間に向《む》こう側《がわ》、それもフィレンツェとローマにはさまれた中部イタリアに来ていました。すぐ目の前のトラシメーノ湖は、なだらかな紺青《こんじょう》の山に囲《かこ》まれ、夕日を浴《あ》びて純金《じゅんきん》の板のよう。その昔にハンニバルがフラミニウスを破《やぶ》った古《こ》戦場《せんじょう》に今はブドウのつるが育ち、のどかに緑の指をからみ合わせていました。愛《あい》くるしい半裸《はんら》の子どもが、道ばたに香《かお》る月桂樹《げっけいじゅ》の木陰《こかげ》で黒豚《くろぶた》の群《む》れの番をしています。こんな眺《なが》めを一幅《いっぷく》の絵にすれば、どんな人でも、「麗しのイタリアよ《ベッラ・イターリア》！」と声を上げて喜《よろこ》ぶことでしょう。でも、この神学生も貸馬車《かしばしゃ》の相客たちも、そんな歓声《かんせい》は上げませんでした。

毒《どく》のあるハエやブヨが馬車の中へ何千匹《びき》も飛《と》んできて、いくらテンニンカの枝《えだ》で追いはらっても無駄《むだ》な抵抗《ていこう》でした。だれもかれも刺《さ》されてしまい、顔をぶつぶつに赤く腫《は》らさない者はいません。馬たちはかわいそうに、腐《くさ》った肉のようにびっしりたかられています。馬たちの辛《つら》さを見かねた馭者《ぎょしゃ》が、わざわざ馬車からおりてこの小さい悪《あく》魔《ま》どもを払《はら》い落《お》としてやっても、ほんの気休めにしかなりません。

いざ太陽が沈《しず》むと気温が急降下《きゅうこうか》、どこもかしこも凍《こお》るような寒さです。快適《かいてき》なんて、とんでもない。それでも周囲《しゅうい》の山々や空の雲は鮮《あざ》やかな緑を帯《お》び、澄《す》んだ輝《かがや》きを放ちます。そうですね、詳《くわ》しくはご自身で確《たし》かめに行ってらっしゃい。本で読むより何倍もきれいですから。見るも美しいとは旅行者たちも思いましたが、なにしろ腹《はら》ぺこでへとへとで、頭の中はただもう今夜の宿のことしかありません。「で、どこに泊《と》まるんだ？」　みんなそっちに気を取られ、景色《けしき》などそっちのけで、はるか前方を一心不乱《いっしんふらん》ににらんでいたのでした。

　道がオリーブ林にさしかかると、神学生は生まれ故郷《こきょう》のごつごつした柳《やなぎ》の森を抜《ぬ》けて行くような気がしました。ぽつんと一軒《けん》だけ宿屋があり、その玄関先《げんかんさき》にどこかしら体の不自由《ふじゆう》な乞食《こじき》が十人ほどたむろしていました。いちばんましな者でも「飢餓《きが》から生まれて成人《せいじん》した幽鬼《ゆうき》の兄貴《あにき》」という顔つきです。他には盲目《もうもく》の者、足が使えずに手ではう者、骨《ほね》と皮ばかりの腕《うで》に指のない手がある者などです。まさに、ぼろをまとったどん底《ぞこ》がそのまま人になったような者ぞろいでした。

　乞食《こじき》たちは思い思いにうめきながら、「閣下《エッチエレンツア》、あわれな乞食《ミゼラービリ》どもで！」と、不自《ふじ》由《ゆう》な手足を突《つ》き出《だ》しました。迎《むか》えに出てきたおかみからして、はだしにぼさぼさの鳥の巣《す》頭、不潔《ふけつ》なブラウス一枚《まい》だけというなりです。ドアはちょうつがいのかわりに細ひもでくくり、部屋の床《ゆか》はレンガ敷《じ》きですが、半分をよそへ転用したあとでした。コウモリが天井《てんじょう》あたりをわらわらと飛《と》んでいて、おまけに部屋の臭《くさ》さったら――。

「いっそ裏《うら》の馬小屋で飯《めし》にしたほうがマシだ」と、旅人のひとりが言《い》い張《は》りました。

「まだしも臭《にお》いのもとがはっきりしてるじゃないか」

　ちょっとでも窓《まど》を開けようものなら、たちどころに空気より早く、しなびた腕《うで》やら絶《た》えざる泣《な》き言《ごと》の「ミゼラービリ、エッチェレンツァ！」が入ってきます。壁《かべ》に多数の落書きがありましたが、半分はお世辞《せじ》にも「麗《うるわ》しのイタリア」とは言えないものでした。

夕飯《ゆうはん》が出てきました。献立《こんだて》はコショウと悪臭漂《あくしゅうただよ》う油風味の水っぽいスープ、お次も同じ油をどばっとかけたサラダ、メインは腐《くさ》りかけの卵《たまご》とニワトリのとさかをローストしたものでした。ワインすらまずく、ぞっとする上によけい腹《はら》が減《へ》るばかりです。

その晩《ばん》は全員のトランクを積《つ》み上《あ》げて客室の戸をふさぎ、交代でひとりずつが寝《ね》ずの番《ばん》に立ちました。一番手は神学生です。ああ、この部屋はなんという蒸《む》し暑《あつ》さか！頭はぼうっとするし、ブヨはぶんぶんたかってくるし、外ではあわれな乞食《ミゼラービリ》どもが、寝言《ねごと》にすら泣《な》き落《お》としをかけてきます。

「旅はすごく楽しいよ」神学生は言いました。「足手まといの肉体がなければ。ああ、肉体は寝《ね》かせておいて、魂《たましい》だけで自由自在《じゆうじざい》に行けたらなあ。どこへ行ってもどこかしら不満《ふまん》が出るんだもの。今望《のぞ》むものより、必《かなら》ずもっといいものがある。そう、もっといいものが——この世でいちばんいいものが。だけど、それはなんだろう？　どこで手に入る？　心の奥底《おくそこ》ではわかってるよ、どういうものか。おれの願《ねが》いは究極《きゅうきょく》の幸福を手にすること、無上《むじょう》の至福《しふく》をもたらす終着点にたどりつくことだ」

そう口に出すが早いか、神学生は故国《ここく》に戻《もど》されました。部屋中の窓《まど》には白く長い喪中《もちゅう》のカーテンを垂《た》らし、中央に安置《あんち》された黒い柩《ひつぎ》の中で静《しず》かな永遠《えいえん》の眠《ねむ》りについています。願《ねが》い通りです。肉体を置《お》いたまま、魂《たましい》だけが旅立ったのでした。「墓《はか》に入らないうちは幸福な人と呼《よ》ぶな」とは哲人《てつじん》ソロンの言葉ですが、あらためてその正しさを証明《しょうめい》したわけですね。

どんな死体も、謎《なぞ》めいた不死《ふし》のスフィンクスです。目の前の黒い柩《ひつぎ》に眠《ねむ》るスフィンクスも、死ぬ二日前に書いた、こんな詩の意味を秘《ひ》めて沈黙《ちんもく》しています。

冷厳《れいげん》なる死よ、汝《なんじ》の沈黙《ちんもく》は恐怖《きょうふ》を呼《よ》びさます
わが魂《たましい》にヤコブのはしごによる昇天《しょうてん》を許《ゆる》さず
多年にわたり墓石《はかいし》の重みに耐《た》えろと言うのか
復活《ふっかつ》の日に立つ場所は、ただの墓地《ぼち》の芝生《しばふ》か？
身も世もなく嘆《なげ》こうとも現世《げんせ》の目には見えず
人生の最後《さいご》にたたずむ待ち人は汝《なんじ》ただひとり
人の心に避《さ》けがたき憂《うれ》いの中で最《さい》たるものよ
死者の柩《ひつぎ》にかけた土すべてより重き心の荷よ

室内を歩き回る人がふたりいました。どちらも皆《みな》さんご存《ぞん》じです。なきがらの上にかがみこんでいたのは、悲しみの精《せい》と幸福の女神《めがみ》の使いでした。

「さて、これでわかったでしょう」と悲しみは言いました。「あなたのブーツが人間にもたらした幸福とやらがどんなものか」

「少なくとも、ここに眠《ねむ》る人には永遠《えいえん》の幸福をもたらしてあげたじゃない」と女神《めがみ》の使いが言い返します。

「とんでもない！」と、悲しみ。「この人は自分で死んだのよ。天に召《め》されたのとはわけが違《ちが》う。自分の運命に埋《う》まった輝《かがや》く任務《にんむ》という宝《たから》を掘《ほ》り起《お》こすだけの意気地《いくじ》が、魂《たましい》に不足《ふそく》していたのね。わたしが手助けしてあげましょう」

と、故人《こじん》の足からブーツを脱《ぬ》がせます。すると死の眠《ねむ》りは終わり、神学生は生き返って目を開けました。悲しみはあのブーツを持って消えました。おそらくはもらって持ち帰ったのでしょう。

ろうそく

みつろうの大型《おおがた》ろうそくが一本あり、恵《めぐ》まれた身分を十二分に自覚《じかく》していました。「ぼくなんかは、生まれながらのみつろう成型《せいけい》だろう。ほかのろうそくより明るいし、もちもいい。シャンデリアや銀の燭台《しょくだい》にふさわしい生まれというわけさ！」

「そんな生まれならさぞ気分よく過《す》ごせるだろうな！」と言ったのは獣脂《じゅうし》ろうそくです。「ひきかえ、ぼくはたかが獣脂《じゅうし》だけど、安売りろうそくよりはほんのちょっぴりマシだと思うことにしてる。あいつらは芯《しん》に二回づけするだけなのに、こっちは八回づけでしっかり太らせてもらえるからね。ありがたいじゃないか！ そりゃあ、たしかに獣脂《じゅうし》よりみつろう生まれのほうが上等だし恵《めぐ》まれてもいるだろうけど、この世に意外性《いがいせい》はつきものだろ。きみは大広間のガラスシャンデリア行き、ぼくは台所どまりだけど、台所だって屋敷《やしき》ぜんぶの食事を司《つかさど》る場所だからね」

「でもね、食事より大事なこともある」みつろうのろうそくが、「社交さ！ 人が輝《かがや》き、自らも輝《かがや》く場だよ！　今夜はこの屋敷《やしき》で舞踏会《ぶとうかい》があってね、じきにぼくは一族ぐるみでそっちへ駆《か》り出《だ》されるはずだ」

みつろうのろうそくは、それ以上《いじょう》ろくに話す間もなくまとめて連《つ》れ去《さ》られ、獣脂《じゅうし》ろうそくもその道連《みちづ》れになりました。ここの奥方《おくがた》のきれいな手で台所へ運ばれたのです。まだ年端《としは》のいかない男の子が、ジャガイモをたっぷり入れたバスケットを抱《かか》えていました。リンゴも二つか三つ入っています。すべては優《やさ》しい奥方《おくがた》から男の子への心づくしでした。

「このろうそくもお持ちなさいな！　お母さまは夜ふけに内職《ないしょく》をなさるでしょ。使えるんじゃないかしら」

ここの小さいお嬢《じょう》さんが奥方《おくがた》にぴったりくっついて立っていましたが、「夜ふけ」と聞いて大はしゃぎで言いました。「わたしも夜ふけまで起きて、夜ふかしするの！　うちで舞踏会《ぶとうかい》だから、大きな赤い飾《かざ》り帯《おび》をつけてもらおうっと！」その晴れやかな顔！　うれしそうなこと！　どんなに明るいみつろうのろうそくだって、この子のつぶらなふたつの目の輝《かがや》きにはかなわないでしょう！

「ほのぼのするね」と、獣脂《じゅうし》ろうそくは思いました。「ずっと忘《わす》れずにいよう、二度と見られないだろうから」そうしてバスケットの仲間入《なかまい》りし、ふたが閉《し》まるとあの男の子に持ち帰られました。

「こんどはどこへ？」獣脂《じゅうし》ろうそくは思いました。「貧乏人《びんぼうにん》のうちだね、たぶん真《しん》鍮《ちゅう》の燭台《しょくだい》もないいんだろうな。みつろう君は銀の燭台《しょくだい》から、えらいさんがたを眺《なが》めていられるのに。えらい人たちを照《て》らすのは、さぞ晴れがましいんだろうな！　だけど、ぼくはみつろうじゃない。しがない獣脂《じゅうし》には、しょせん貧乏《びんぼう》な家がお似合《にあ》いさ！」

獣脂《じゅうし》ろうそくはそんな思いを抱《かか》えて、裕福《ゆうふく》なあのお屋敷《やしき》の向かいでやもめの母親が三人の子と暮《く》らしている、天井《てんじょう》が低《ひく》い間借《まが》りの家へ連《つ》れていかれました。

「お優《やさ》しい奥《おく》さまに、どうぞ神さまが報《むく》いてくださいますように」母親は言いました。「きれいなろうそくねえ！　あれなら夜ふけまでもってくれそうだわ」

そこでさっそく、もらってきたろうそくをつけました。

「うへえ」ろうそくが言います。「やけに臭《くさ》いマッチで火をつけてくれたもんだな！　あっちの裕福《ゆうふく》なうちじゃ、みつろう君を絶対《ぜったい》こんな目に遭《あ》わせたりしないだろうよ」

そっちの家にも灯《ひ》がともっています。通りのこちらから見えるほど華《はな》やかです。上品なパーティ客を乗せた馬車がさかんに出入りし、音楽が聞こえてきます。

「お向かいさんとこで始まるぞ」そう気づくと、みつろう君が束《たば》になってもかなわない輝《かがや》きを放っていた、あのお嬢《じょう》さんの晴れやかな顔が浮《う》かんできました。「あんな顔はもう二度と拝《おが》めないだろうなあ！」

幼《おさな》い末娘《すえむすめ》がそこへ出てきて兄や姉に抱《だ》きつき、首っ玉からぶらさがるようにしました。何かよほどのことを伝《つた》えたくて、それも内緒話《ないしょばなし》でないといけないらしいのです。

「あのねえ、今晩《こんばん》ね、当ててみて！　今晩《こんばん》ね、みんなであつあつのおいもだよ！」

うれしそうに輝《かがや》く顔を獣脂《じゅうし》ろうそくがまともに照《て》らせば、裕福《ゆうふく》なあの家で「舞踏会《ぶとうかい》だから、大きな赤い飾《かざ》り帯《おび》をつけてもらおうっと！」とはしゃいだあのお嬢《じょう》ちゃんに負けない喜《よろこ》びと幸せではちきれそうです。

「あつあつのおいもだって幸せには変《か》わりないか」と、ろうそくは思いました。「喜《よろこ》びの種《たね》は、ここの子たちにも平等にあるんだなあ」そこでくしゃみが出ました。早い話がジジッ、パチッとはぜたんですね。もとが獣脂《じゅうし》ですからそんなものです。

テーブルにお皿が配られ、おいもはきれいになくなりました。いやあ、おいしかった！　最高《さいこう》のごちそうですよ、おまけにリンゴまでひとりに一個《こ》ずつ。あの末《すえ》っ子《こ》がかわいい詩を作ったほどでした。

優《やさ》しい神さま　ありがとうなの
またまたこんなに　おいしかったね

アーメン！

「ねえ母さん。今の、じょうずだった？」おちびさんはそう言いだしました。

「二度とそんなこと言っちゃだめ」母親がたしなめます。「よくしてくださった神さまへの感謝《かんしゃ》だけにしなさい」

子どもらはベッドに入り、キスしてもらってすぐ寝《ね》てしまいました。母親は生計の足しにしようと夜ふけまでせっせと針仕事《はりしごと》に根をつめ、向かいのお屋敷《やしき》ではきらびやかな明かりや音楽がこぼれています。そんな家々を星はわけへだてなく照《て》らし、貧富《ひんぷ》の格差《かくさ》におかまいなく澄《す》んだ光を投げかけます。「ああ、本当に楽しい晩《ばん》だった！」と獣脂《じゅうし》ろうそくは思いました。「銀の燭台《しょくだい》のみつろう君はここより楽しかったかな？自分がすっかり燃《も》え尽《つ》きる前に知りたいなあ」

そうして、みつろうの明かりでも、獣脂《じゅうし》ろうそくの明かりでも、幸せいっぱいだった女の子たちの笑顔《えがお》を思《おも》い浮《う》かべました。

そうです。お話はそれでおしまい！

アンデルセンとデンマーク　訳者《やくしゃ》あとがき

本書『夜ふけに読みたい 森と海のアンデルセン童話』では、デンマークの春と夏をおもに取り上げました。風光る北欧《ほくおう》の季節《きせつ》をページから感じていただければ幸いです。

なぜ、個人《こじん》の創作《そうさく》が「昔話」なのか

このシリーズではアーサー・ラッカムの挿絵《さしえ》でヨーロッパの昔話の流れをたどってきました。太古の水源《すいげん》からイソップが汲《く》み上《あ》げた昔話は、いくつもの川となって大海原《おおうなばら》に流れこんでいますが、グリム兄弟の川のほぼ終着点にいるのがアンデルセンです。

アンデルセンの童話は大半がオリジナル作品でありながら、昔話としても立派《りっぱ》に通用します。なにしろ、あのグリム兄弟さえうっかり間違《まちが》ったほどです。ただしこれまでの昔話とは違《ちが》い、長い年月をかけてたくさんの人の手で磨《みが》き上《あ》げる作業をアンデルセンひとりで終えています。にもかかわらず、アンデルセンの童話には昔話として不可欠《ふかけつ》

な要素《ようそ》が備《そな》わっています。その要素《ようそ》こそ、グリム兄弟が生涯《しょうがい》かけて昔話を追い続《つづ》けた理由でもあります。法学者《ほうがくしゃ》である兄のヤーコプ・グリムは、「（民族固有《みんぞくこゆう》文化という）ひとつのゆりかごで育ったりが法《ほう》と詩歌《ものがたり》だ」と説《と》く恩師《おんし》のサヴィニー教授《きょうじゅ》から、伝承《でんしょう》が示《しめ》す昔ながらの価値観《かちかん》こそ、法律《ほうりつ》の根幹《こんかん》をなす民族《みんぞく》の本質《ほんしつ》だと教えられました。ヤーコプとヴィルヘルムはその原則《げんそく》にのっとり、おびただしい昔話からドイツという国の形を見定め、あるいは他国の昔話からそれぞれの国の姿《すがた》をつかもうとしました。昔話とは、民族《みんぞく》や国の価値観《かちかん》を共有《きょうゆう》する大事なツールとして語《かた》り継《つ》がれてきたものだからです。

アンデルセンを昔話の「語り部《かたりべ》」にしたもの

共有《きょうゆう》の価値観《かちかん》であろうと、あらためて言葉にしてわかりやすく伝《つた》えるのは大変《たいへん》です。いくら天才的《てんさいてき》な語《かた》り部《べ》でも、とっかかりになる経験《けいけん》がなくては表現《ひょうげん》のしようがありません。アンデルセンには文才だけでなく、多数の人が長年かかって行う作業をひとりでやってのけるだけの経験《けいけん》に裏打《うらう》ちされた価値観《かちかん》がありました。言《い》い換《か》えれば、他人の何倍もすさまじい苦労《くろう》を重ねてきたということです。本文でもかいつまんで触《ふ》れたように、どん底《ぞこ》の生まれから苦労《くろう》に苦労《くろう》を重ねて作家として大成《たいせい》はしたけれど、失恋続《しつれんつづ》きでついに伴侶《はんりょ》には巡《めぐ》り合《あ》えませんでした。「イーダちゃんのお花」や「お店の小人《こびと》さん」などに登場する「学生さん」はおおむね若《わか》き日の自画像《じがぞう》で、切り絵が得《とく》意《い》なところもそっくりです。学生時代のアンデルセンは快活《かいかつ》にふるまってはいましたが、内心ではうち続《つづ》く貧乏《びんぼう》や階級社会での挫《ざ》折《せつ》につぐ挫《ざ》折《せつ》で、楽になるにはこの世を捨《す》てて死ぬしかないと諦《あきら》めかけていたようです。かといってキリスト教が禁《きん》じる自殺《じさつ》をあえてする勇気《ゆうき》はなく、また父方に精神疾患《せいしんしっかん》の病歴《びょうれき》が続《つづ》いたせいで狂気《きょうき》や死への恐怖《きょうふ》にとりつかれ、ようやく恐怖《きょうふ》が薄《うす》らいだのは皮肉にも晩年《ばんねん》になってからでした。彼《かれ》の作品の多くが「死こそ究極《きゅうきょく》の幸せ」と、恐怖《きょうふ》と背中合《せなかあ》わせの憧《あこが》れを説《と》くのは、ままならぬ現実《げんじつ》がもたらした葛藤《かっとう》のあらわれです。なにもデンマークに限《かぎ》らず、当時のヨーロッパには格差《かくさ》の広がる階級社会で行きづまった人たちがたくさんおり、社会の片隅《かたすみ》で死への恐怖《きょうふ》と憧《あこが》れに（時に病的《びょうてき》なまでに）葛藤《かっとう》する弱者を描《えが》く文学作品が各国《かっこく》で生まれました。

アンデルセンがそれでもへし折《お》れなかったのは、他人の価値観《かちかん》をうのみにしない反《はん》骨精神《こっせいしん》と、健全《けんぜん》な自尊心《じそんしん》がもたらす芯《しん》の強さのおかげでしょう。本書をしめくくる「ろうそく」には彼《かれ》の人生観《じんせいかん》がはっきりと読みとれます。獣脂《じゅうし》ろうそくも、やはりアンデルセンお気に入りの自己《じこ》イメージでした。二〇一二年十二月に少年時代の創作《そうさく》童話が新たにコペンハーゲンで発見されて話題になりましたが、そちらのお話でも、肩身《かたみ》の狭《せま》い思いをしていた獣脂《じゅうし》ろうそくが火打ち石との出会いで自らの真価《しんか》を見いだします。

広い交友と旅行（ただしヘマあり）

幸い、火打ち石になってくれる人には恵《めぐ》まれました。デンマーク国内では、文筆の師《し》と仰《あお》いだ劇作家《げきさっか》のヨーハン・ルーズヴィ・ハイベアや、電磁気学《でんじきがく》の父とうたわれた科学者で、童話を書くべきだとアンデルセンに強く勧《すす》めた親友のハンス・クリスチャン・エルステッドでしょうか。このふたりの名は「願《ねが》いをかなえるブーツ」に親しみをこめて出てきます。余談《よだん》ながらデンマークは昔から自然《しぜん》科学に強く、織田信長《おだのぶなが》の時代に精密《せいみつ》な天体観測《かんそく》をなしとげたブラーエゆかりの天文台は今もコペンハーゲンの円《えん》塔《とう》として親しまれているほか、エルステッドにちなんだ公園も現存《げんそん》します。現地《げんち》の発音は「エアステッズ」に近いですが、本書では電磁気学《でんじきがく》の功績《こうせき》に敬意《けいい》を表して「エルステッド」を採用《さいよう》しました。アンデルセン作品にちょくちょく出てくる理系《りけい》の小ネタには、エルステッドはじめ科学者たちの受け売りも少なからず含《ふく》まれているようです。交友範囲《はんい》の広さとともに「知る喜《よろこ》び」を存分《ぞんぶん》に充《み》たしてくれた良《よ》き友との楽しい日々がしのばれます。

話を戻《もど》してデンマーク国外に目を転じれば、ドイツのグリム兄弟やハイネ、フランスの文豪《ぶんごう》バルザックやデュマ父子《おやこ》、英国《えいこく》のディケンズといったそうそうたる語り部《かたべ》たちが交友録《こうゆうろく》に名を連《つら》ね、この人も同時代人だったのか、と驚《おどろ》かされる組み合わせもあります。アンデルセンは根っから人なつこい性格《せいかく》でしたが、恵《めぐ》まれない家庭環境《かんきょう》がたたって人づきあいのマナーは残念《ざんねん》な部類《ぶるい》でした。好《す》きになるとのめりこんでバランスを失《うしな》い、現代《げんだい》ならば「不思議《ふしぎ》ちゃん」や「距離《きょり》なしさん」と呼《よ》ばれかねない言動に走りがちだったようです。女性《じょせい》相手にその調子では引かれて当然《とうぜん》で、失恋《しつれん》の原因《げんいん》は案外《あんがい》そんなところではないでしょうか。異国《いこく》の語り部《かたべ》たちに対しても似《に》たようなやらかしがあり、いい例《れい》がディケンズでしょう。ディケンズの作風にあこがれて英国《えいこく》の邸《やしき》を訪《たず》ね、そのまま一か月以上《いじょう》も居座《いすわ》って、とうとうディケンズの家族から帰ってくれと言われる始末《しまつ》でした。

いちおう公平を期しておくと、ディケンズ自身はたいへん懐《ふところ》の深い苦労人《くろうにん》で、大作家になってからも毎日のように自宅《じたく》で人を手厚《てあつ》くもてなしていました。舌《した》の肥《こ》えたディケンズ邸《てい》の料理《りょうり》は大評判《だいひょうばん》でレシピブックまで出版《しゅっぱん》され、後年にレストランチェーンを経営《けいえい》する孫《まご》まで出たほどです。不意《ふい》の晩餐客《ばんさんきゃく》は当たり前、泊《と》まり客《きゃく》にも慣《な》れっこだった一家から帰ってくれとわざわざ言われたのは、たぶんアンデルセンぐらいでしょう。非常識《ひじょうしき》な長居《ながい》以《い》外《がい》にも何かがあったと考えたほうがよさそうですが、詳細《しょうさい》はわかりません。

ですが、アンデルセンはめげずに以後《いご》も異文化《いぶんか》交流を続《つづ》けました。外国の作品に触《ふ》れ、作家と交流し、旅に出かければ、悲しい思いをすることもありますが、それ以上《いじょう》にまたとない学びの機会《きかい》がもたらされます。旅行での見聞を作品に活《い》かせますし、筋立《すじだ》てのヒントにもなります。たとえば有名な「人魚姫《にんぎょひめ》」は、ドイツの作家フーケの「ウンディーネ」という水の精《せい》の悲恋《ひれん》物語から思いついたと言われています。

デンマークと英国《えいこく》の微妙《びみょう》なあれこれ

ディケンズの件《けん》はさておき、デンマークと英国《えいこく》には因縁《いんねん》の歴史《れきし》がいくつかありました。まずアンデルセンより八百年ほど前、デンマークのヴァイキングはノルウェーまで北海帝国《ていこく》を広げ、そこからさらに英国《えいこく》を征服《せいふく》しています。彼《かれ》らを白鳥になぞらえた「白鳥の巣《す》」というアンデルセン童話では、デンマーク側《がわ》の国民感情《こくみんかんじょう》や価値観《かちかん》がストレートに表現《ひょうげん》されています。ちなみにイギリス昔話の「赤ずきんちゃん」はヴァイキングたちの北欧《ほくおう》神話が原型《げんけい》とのこと、早い話が征服《せいふく》の置《お》き土産《みやげ》ですね。イギリス篇《へん》でチェシャとチェッコが手短に説明《せつめい》していますので、ご興味《きょうみ》があればどうぞ。

いくらデンマーク側《がわ》からすれば白鳥のヒーローでも、英国《えいこく》にしてみれば征服《せいふく》された史実《しじつ》は不快《ふかい》なだけです。ですが、英国《えいこく》にもイギリス篇《へん》でご紹介《しょうかい》した「楽しき国イングランドの聖《せい》ジョージ」の征服《せいふく》を肯定《こうてい》する価値観《かちかん》があり、「願《ねが》いをかなえるブーツ」に出てきたように、アンデルセンの生まれる前にナポレオン戦争《せんそう》でコペンハーゲンを艦隊砲撃《かんたいほうげき》して、「イーダちゃんのお花」の舞台《ぶたい》となったローセンボー城《じょう》にデンマーク王室を一時退避《たいひ》させています。さらにディケンズとアンデルセンの生きた十九世紀《せいき》は、ヨーロッパ列強が植民地《しょくみんち》を奪《うば》い合《あ》う時代でもありました。デンマークもアフリカやインドや西インド諸島《しょとう》で英国《えいこく》とにらみ合っています。そうしたことは現代《げんだい》の尺度《しゃくど》ではむろん許《ゆる》されませんが、当時たしかに存在《そんざい》した価値観《かちかん》や国民感情《こくみんかんじょう》から息の長い本音を読みとって、リスクの可能性《かのうせい》に備《そな》えるのは後世のわたしたちの役目です。

アンデルセンは死の前年に宮中顧問官《こもんかん》に任《にん》じられ、デンマークの四季《しき》や人々を愛《あい》した語《かた》り部《べ》として穏《おだ》やかに人生を閉《と》じました。今もなお国民《こくみん》作家として愛《あい》されていますが、今もなお世界中で読《よ》み継《つ》がれる作品は童話だけです。ここでもまた、「それぞれにふさわしい場所」というわけです。

二〇二四年四月二日　アンデルセンの誕生日《たんじょうび》に

掲載作品原題

イーダちゃんのお花　Den lille Idas Blomster (9)

お店の小人さん　Nissen hos Spekhøkeren (110)

みにくいアヒルの子　Den grimme Ælling (66)

コガネムシ　Skarnbassen (149)

焼きソーセージの串のスープ　Suppe paa en Pølsepind (126)

妖精の丘　Elverhøi (71)

ニワトコおばさん　Hyldemoer (70)

お父さんのすることはいつもよし　Hvad Fatter gjør, det er altid det Rigtige (150)

それぞれにふさわしい場所　"Alt paa sin rette Plads!" (109)

人魚姫　Den lille Havfrue (16)

皇帝の新しい服　Keiserens nye Klæder (17)

願いをかなえるブーツ　Lykkens Kalosker (18)

ろうそく　Lysene (188)

★原題とその後に示した作品番号はH. C. アンデルセンセンター
（H. C. Andersen Centret／デンマーク）を参照した。
出典：https://www.sdu.dk/da/forskning/hca

著者

ハンス・クリスチャン・アンデルセン（1805-1875）

デンマークのオーゼンセに、貧しい靴職人の子として生まれる。俳優を志しコペンハーゲンに出たが、やがて文学を目指す。1835年、イタリア旅行の体験をつづった小説『即興詩人』で広く名を知られ、同年「人魚姫」などを含む『童話集』を発表。以降、多くの童話集を発表し、近代童話の確立者となった。

編訳者

吉澤康子

（よしざわ・やすこ）

英米文学翻訳者。津田塾大学学芸学部国際関係学科卒業。「夜ふけに読みたいおとぎ話」シリーズ（共編訳、平凡社）、E.ウェイン『コードネーム・ヴェリティ』『ローズ・アンダーファイア』、S.リンデル『危険な友情』、L.プレスコット『あの本は読まれているか』（以上、創元推理文庫）など著訳書多数。

和爾桃子

（わに・ももこ）

翻訳者（主に英米語）。慶應義塾大学文学部中退。サキ四部作、デ・ラ・メア『アーモンドの木』『トランペット』（以上、白水Uブックス）、『マディバ・マジック――ネルソン・マンデラが選んだ子どもたちのためのアフリカ民話』（平凡社）、「夜ふけに読みたいおとぎ話」シリーズ（共編訳、平凡社）など著訳書多数。

【お問い合わせ】
本書の内容に関するお問い合わせは
弊社お問い合わせフォームをご利用ください。
https://www.heibonsha.co.jp/contact/

夜ふけに読みたい
森と海のアンデルセン童話

2024年4月24日　初版第1刷発行

著　者　ハンス・クリスチャン・アンデルセン
編訳者　吉澤康子、和爾桃子
挿　絵　アーサー・ラッカム
発行者　下中順平
発行所　株式会社平凡社
〒101-0051　東京都千代田区神田神保町3-29
電話　03-3230-6573（営業）

印　刷　株式会社東京印書館
製　本　大口製本印刷株式会社
デザイン　松田行正、内田優花
イラスト　足立真人

ISBN978-4-582-83960-9

落丁・乱丁本のお取り替えは小社読者サービス係までお送りください（送料小社負担）。
平凡社ホームページ　https://www.heibonsha.co.jp/